花咲かじいさんの読書会

哲学の宝を掘り起こす

白鳥 俊
SHIRATORI SHUN

文芸社

はじめに

少し前になりますが、二〇〇七年に刊行された上野千鶴子さんの『おひとりさまの老後』（法研）という本がベストセラーになりました。「おひとりさま」（単身者）が、「ひとりで安心して老い、心おきなく死ぬためのノウハウ」が書かれた本で七十五万部売れたそうです。本の帯にはこう書いてあります。

——結婚していようがいまいが、だれでも最後はひとり　「これで安心して死ねるかしら」——

確かに現在の日本では、「おひとりさま」は増え続けています。
二〇二〇年の国勢調査によれば、日本の総世帯数五千五百七十万世帯のうち、六十五歳以上の単身世帯は六百七十二万世帯、内訳は女性のおひとりさま四百四十一万、男性のおひとりさま二百三十一万です。そして、この傾向は今後も増え続けていくだろうと予測されています。
というのも結婚しない若者が増え続けているからです。

同調査によりますと、生涯未婚率（五十歳になるまでに一度も結婚したことのない人の割合）は、男性二五・七パーセント、女性一六・四パーセントにものぼっています。しかも近年は高まる一方で、二〇四〇年には男性三〇パーセント、女性二〇パーセントになると推計されています。

では、ここで問題です。

一九六〇年、今から約六十年前の生涯未婚率はどのくらいだったと思いますか？

答え。男性一・三パーセント、女性一・九パーセント。

なんと六十年前には、九八パーセント以上の男女が結婚していたのです。

結婚して子どもを産んで家族を作るのが当たり前だと言われていた時代では、とくに高齢単身女性の「おひとりさま」は肩身のせまい思いをしてきたと思います。しかし、上野さんの『おひとりさまの老後』は、そんな高齢単身女性の暗いイメージを一挙に払拭してくれました。その功績はとても大きかったと思います。

ところで、この本の中で、こんな話が紹介されていました。

読者のおひとりに、「おひとりさまですか?」とたずねたところ、その女性はこう答えたのだ。

「いいえ。残念ながら、まだおふたりさまです。1日も早く、おひとりさまになりたいとおもっています」

（上野千鶴子著『おひとりさまの老後』文春文庫）


えっ！　これって亭主は早くいなくなってほしいっていうこと？

ひと昔前はかろうじて「亭主元気で留守がいい[*1]」なんて言ってたのに……。

いまでは、「亭主いなけりゃ、もっといい」ですか……。

でも心配ご無用。上野さん、続けてこうも書いています。


だが、男性を敵視しているわけではない。世の中のパートナーである男性が不幸になってもらったら、残りの半分の女性も幸福にはなれない。

（前掲書）


そうそう。やっぱり女性も男性も、みんな幸福にならないとね。

と思っていたら上野さん、最後の最後にこう書いているんです。

「あとがき」の最後の文章です。

こういうところに結構本音が出たりするんですよね。


不安とは、おそれの対象がなにか、よくわからないときに起きる感情だ。ひとつひとつ不安の原因をとりのぞいていけば、あれもこれも、自分で解決できることがらだとわかる。もしできなければ、最後の女の武器がある。「お願い、助けて」と言えばよい。

なに、男はどうすればいいか、ですって？

そんなこと、知ったこっちゃない。

せいぜい女に愛されるよう、かわいげのある男になることね。

（前掲書）


えーっ、そういうことだったんですか？

最後に困ったときは男に媚びを売って助けてもらい、男が困ったら知らんぷりですか？

「おひとりさま」という言葉の中には「高齢単身男性」は含まれていなかったんですか？

この文章を読んで、「してやったり！」と思うラディカル・フェミニズム*2の信奉者の方もいるかもしれませんが、ま、これはフェミニストたちへのリップサービスだということにしておきましょう。

そこで、私たちも上野さんに負けずに、このたび『花咲かじいさんの読書会』という本を出版することになりました。

この本は若いころから続けている読書会の延長線上で書き上げたものです。はじめは、メンバーは十人ほどいて、「中年哲学探偵団」なんて意気込んでいた時期もあったのですが、やがてみんな仕事が忙しくなり、いつしか中年を通りすぎて老年となり、今では内山くんと私の二人きりになってしまいました。

実は、内山くんは二十代半ばころから徐々に視力が落ちはじめ、四十歳ごろには完全に光を失ってしまいました。そこで、読書会では、私が本を読むことになったのですが、ときどき彼は居眠りするんです。私の声が心地よいからと言うのですが……。しかし、居眠りされてしまうと、さすがに読んでいる私としては空しくなるんですよね（想像してみてね）。

そこで、私がまず本を読んでその本の内容を文章にまとめ、それを読み上げることにしました。そして、もし内山くんが居眠りするようだったら、私の書き方が悪いのだということにしまして、居眠りさせないように、わかりやすく、面白く書くように努力しました。内山くんの意見もどんどん取り入れました。すると内山くんも居眠りをしなくなり、自然と読書体験も深まっていくんですね。そうやって、この本の原稿が出来上がりました。

ですから、この本を手に取ってくださったあなた。この本は決してあなたを退屈させることはないでしょう。私たちが保証します！

ということで、この本は私と内山くんとの共同作業で書き上げました。

ただ彼は、自分は勝手に意見を言ってるだけだから、あえて著者として名を連ねなくていいし、野暮な「著者紹介」もいらないよと言うので、この本では一貫して謎の「内山くん」として登場してもらうことにしました。

たしかに「著者紹介」というのは権威づけの象徴みたいで野暮な感じですよね。そこで私のす。

「著者紹介」もちょっと工夫して、今は亡き父親に天国から書いてもらうことにしました。

もう一つ忘れてならないのは、我が家の愛犬ブン（柴犬・雌・二〇一〇年十二月生まれ）です。

昔話の『花咲かじいさん』では、愛犬が地中に眠っている宝を掘り起こして大活躍します。愛犬ブンも重要な箇所でたびたび登場して活躍してくれました。

ところで、『花咲かじいさん』という昔話、最近の若い人にはあまり馴染みのない話のようなので、ここで簡単にあらすじを紹介しておきましょう。

ある山里に心優しいお爺さんとお婆さんが住んでいました。

お爺さんとお婆さんは、近くの川でずぶ濡れになって寒さに震えている小犬を助け、その小犬にシロと名付け、我が子のようにかわいがって育てました。

ある日、シロが「ワンワン！」と吠えてどこかに案内したそうにしているので、お爺さんとお婆さんはシロの後をついていきました。裏の畑まで来ると、シロは「ここ掘れ、ワンワン！」と吠えました。お爺さんがそこを掘ってみると、土の中から小判がザクザクと出てきました。

それを見ていた隣の欲張り爺さんと婆さんは、自分たちも小判を手に入れようと思い、無理やりシロを連れ去りました。しかし、シロが指し示した場所から出てきたものはガラクタばかりでした。激怒した欲張り爺さんはシロを殺してしまいました。

シロが死んだことを知った心優しいお爺さんとお婆さんは、シロの亡骸を引き取って庭に埋め、傍らに小枝を刺して弔いました。するとその小枝は、悲しみにくれるお爺さんとお婆さんを元気づけるかのように大きな木に育ちました。お爺さんはその木を切って臼を作り、白い餅をついてシロの墓に供えることにしました。臼が出来上がり餅をついていると、驚いたことに餅が小判に変わっていくではありませんか。

それを見ていた欲張り爺さんは、またもや小判を手に入れようと思い、今度は臼と杵を無理やり持って行ってしまいました。しかし、何度餅をついても小判は出てきません。それどころか石ころばかりが出てきました。怒った欲張り爺さんは、臼と杵を斧で壊し、焼いて灰にしてしまいました。

シロの形見を失ってしまった心優しいお爺さんとお婆さんは、悔し涙にくれながら、せめて灰だけでも、とその灰を持ち帰ろうとしました。そのとき、一陣の風が灰を空高く巻き上げました。するとその灰が枯れた桜の木に花を咲かせたのです。お爺さんはシロが枯れ木に花を咲かせたのだと思い、「枯れ木に花を咲かせましょう」と叫んで、他の枯れ木にも灰をまいたところ枯れ木は次々と花を咲かせ、野山を美しく彩りました。

そこへ偶然通りかかった殿様が「これは見事じゃ」と感心し、「褒美をとらせよう」と言いました。

それを見ていた欲張り爺さんは、またもや心優しいお爺さんから灰を奪い取り、同じように枯れ木に灰をまこうとしました。ところが枯れ木に花が咲くどころか、まいた灰が殿様の目や口に入ってしまい、殿様は怒って欲張り爺さんと婆さんを「打ち首に処す」と言って牢屋に入れてしまいました。

殿様は心優しいお爺さんに「花咲か爺、欲しいモノがあったら何でも申せ」と言いました。するとお爺さんはこう答えました。

「おらたち欲しいモノはなんにもありません。ただ間違いを起こした隣の爺さんと婆さんを殺さないで赦してやってください」

殿様はお爺さんの優しい心に免じて欲張り爺さんと婆さんを釈放しました。

牢屋から出てきた欲張り爺さんと婆さんは心を入れ替え、シロに可哀想なことをしたと、心優しいお爺さんとお婆さんに心の底から謝ったそうです。

そうしてこの山の小さな村は、シロが咲かせた桜の花でいっぱいとなり、どこの村よりも早く春がやって来たそうです。

さて、この本は、あなたの中に眠っている宝（残存能力・潜在能力）を掘り起こし、あなたに「花咲かじいさん」になってもらおうとするものです。年をとったら誰でも自分の中にたくさんの宝が埋もれています。愛犬が「ここ掘れ、ワンワン！」と宝を発見したように、あなたも自分の中にある埋もれた宝を発見して、枯れ木に花を咲かせてみませんか?

もちろん、社会を変革することによって個人を幸せにしようという考えがあることは知っています(マルクス主義とか新自由主義とかね)。しかし、たとえどんなに素晴らしい社会が訪れようとも、この私がいきいきと生きることができていなければ、そんな理想社会は意味がないのではないでしょうか。

そもそも、私たちにはもう時間がないのです。

そうです。人は年をとると必然的に実存主義者になるのです。どんな理想社会を思い描いたところで、この私が死んでしまえば終わりだからです。

だから、「いま・ここ」で自己変革することによって世界との関係を変えるのです。

自ら「花咲かじいさん」になることによって世界に花を咲かせるのです。

なに、女はどうすればいいか、ですって?

そんなこと、知ったこっちゃない。

女には「女の武器」があるじゃないですか、なーんて冷たいことは言いませんよ。

もちろん「花咲かばあさん」もありです。ばあさん、でよろしければ……。

では、ようこそ、花咲かじいさんの世界へ。

＊1　一九八六年の流行語大賞の銅賞。一九八六年は男女雇用機会均等法が施行された。
＊2　男性との恋愛は女性抑圧の元凶であり、結婚は男性の性欲に奉仕する制度であると主張する。

目次

花咲かじいさんの読書会

哲学の宝を掘り起こす

第一章 いまさら哲学ですか？

人間六十年、七十年も生きてくれば、誰でもそれなりの哲学が確立されてくるものです。なんたって、あなたは、人生の荒波を乗り越えて「いま・ここ」を生きてるじゃないですか。とりあえず実践はできている。

もしあなたが自分の哲学を感じとれないのだとしたら、それは人生の実践を裏打ちすべき哲学が言語化されていないだけなのです。ですから哲学を学びながら、同時に自分の哲学を言語化して磨きをかける。自分の哲学を編みかえてみる。そうすれば、あなたも、あなたらしい花を咲かすことができますよ。この本を読み終えるころには、きっと行動変容が始まっていることでしょう。

だから、「いまさら哲学？」ではなく、「いまこそ哲学！」なのです。

書店には高齢期を生きるためのノウハウ本があふれていますね。でも、みんな表層的な技術論ばかりじゃないですか。もっと本質的なところに深く鋭く切り込んでいかなくちゃ。

私たちはあらためて古今の哲学者に敬意を払いつつも、彼らの哲学を踏み台にして「花咲かじいさんの哲学」を考えてみようと思い立ったわけです。

取り上げる哲学者は、ハイデガー、西田幾多郎、ニーチェ、ウィトゲンシュタインといった超一流の哲学者たちです。でも、この哲学者たち、名前は聞いたことはあるけれど、皆さんの心の中では「枯れ木」のような存在になっていませんか？

そこで、彼らの哲学を「学問」という密室空間から、私たちの生きている「生活空間」へ解き放って、枯れ木に花を咲かせてみせようと思うのです。どんな難解な哲学でも、その革新的な部分が受け取られるときには必ずシンプルな形で受け取られています。ですから、私たちも難解な哲学をできる限りシンプルな形で取り出してみたいと思います。

もちろん、専門家には哲学者の言葉を厳密に定義して理解することが求められます。他の哲学者との微妙な差異も明らかにしなければならない。しかし、厳密さや細部を追求するあまり、哲学者がつかみとったときの生き生きとした感動を捉え損ねているのではないでしょうか。

そこで、「花咲かじいさんの読書会」では、哲学者を大胆に「誤解」しながら、彼らの到達した地点の半歩先まで歩を押し進めてみようと思います。

誤解？　そうです。誤解も理解の一つなのです。ですから、あなたも本書をあなたらしく誤解して、本書を乗り超えていってください。もちろん本書が彼らの哲学を世界一わかりやすく解説しているという可能性は十分にありますけど……。

所詮、哲学者は世界の半分しか書くことができないのです。残りの半分は、読者が考え、自分の哲学として完成させなければならない。「哲学する」ということは、そういうことではないでしょうか。

それでは早速、「花咲かじいさんの読書会」を始めましょう。

はじめに、今から約二四〇〇年前、プラトンという哲学者が『ゴルギアス』という本の中でカリクレスという人物を登場させて、哲学的議論ばかりしているソクラテスをこきおろす面白い場面がありますのでご紹介します。
＊引用文中で筆者が中略した箇所は［……］で示す。以降、同様。

哲学には、教養のための範囲内で、ちょっとたずさわっておくのはよいことであるし、若い時に哲学をするのは、少しも恥ずかしいことではない。しかし、もはや年もいっているのに、人がなお哲学をしているとなると、これは、ソクラテスよ、滑稽なことになるのだ。［……］つまり、若い年頃の者が哲学をしているのを見れば、ぼくは感心するし、それはふさわしいことだと思う。そしてそういう人間には、何か自由人らしさがあるように思うのだ。これに反して、この年頃に哲学をしないような者は、自由市民とは思えず、将来においても決して、立派なよい仕事をする見込みの全然ない者だと思う。しかしながら、実際、いい年になってもまだ哲学をしていて、それから抜け出ようとしない者を見たりするときは、ソクラテスよ、そんな男はもう、ぶん殴ってやらなければいけないとぼくは思うのだ。なぜなら、そういう人間は、さっきも言ったことだけれど、いかによい素質を

——もって生まれて来ていたところで、もう男子たる資格のない者となってしまっているからだ。

（プラトン著『ゴルギアス』加来彰俊訳　岩波文庫）——

若いときには哲学は必要だが、いい歳して哲学に関わっている奴など、男子たる資格なし、ぶん殴ってやれとの発言、なかなか威勢のいい発言ですね。

だいたい哲学書を読んでいて「ぶん殴る」なんて言葉初めて見ましたよ。

ちなみにこの本が書かれたとき、日本は弥生時代早期。水田稲作が始まった時期です。はたして日本にもこのような哲学的議論があったのでしょうか。ちょっと想像できませんけどね。

確かに若いときは、観念的なことを徹底的に考え抜くいい機会だと思います。しかし、仕事をもって、結婚して、子どもまでもうけて、現実の荒波を生きていかなければならないとき、それをないがしろにして、哲学にうつつを抜かしていたとすれば、確かにそんな奴はぶん殴ってやらなければならないと思います。でもそれは哲学に限りませんよね。ギャンブルや酒や女にうつつを抜かしている連中も同じこと。

ですから、「現実生活をないがしろにして」という条件であれば、私はカリクレスさんの言うことは正しいと思いますよ。

しかし、若いときのロマンティシズムは、大人になったらリアリズムによって克服すべきだとか、いつまでもロマンティシズムにしがみつくな、それを捨て去ることこそ真の大人になることだなどと言ったら、それこそニーチェ（「第八章　ニーチェの哲学――山田太一さんの脚本で読み解く」参照）にぶん殴られてしまいますよ。

ロマンティシズムを抑圧してリアリズムに迎合して生きていくのは、会社の中ではある程度必要なことだけど、それはあくまで「会社」という限定された世界の中での話。いずれ企業戦士から解放されるときが来るんだから、それまでいかにロマンティシズムの灯を絶やさないでいられるか、ここが人生の勝負どころなんです。

ニーチェならきっとこう言うでしょう。

生きるってことは、自分の中の、死んでいくものを、くいとめるってこったよ。気を許しゃあ、すぐ魂も死んで行く。筋肉も滅んで行く。脳髄もおとろえる。なにかを感じる力、人の不幸に涙を流す、なんてェ能力もおとろえちまう。それを、あの手この手を使って、くいとめることよ。それが生きるってことよ。

（山田太一著『山田太一セレクション　早春スケッチブック』里山社）

社会のしがらみから解放された高齢期こそ、いままで貯えてきたロマンティシズムを発掘し、磨き上げ、自己表現として発露するときなのです。そのためには、心のスイッチを入れる必要があります。哲学は、読み方によっては高齢期の心にスイッチを入れる起爆装置になるのです。

つまり、この本によってあなたの心にスイッチが入ります。

もちろん、哲学のことを現実から遊離した空虚な思弁だと小馬鹿にして、自分の頭で深く考えることもせず、自分の言葉で誠実に語ろうともせず、ただ血圧の高低や体組成計の体内年齢の数値に一喜一憂し、「高齢期を楽しく暮らす方法」といったノウハウ本ばかり読みあさっている人がいたとしたら、カリクレスさん、そんな奴こそ、遠慮なくぶん殴ってやるべきだと思うのですよ。

第二章　ハイデガーの『存在と時間』を読む

高校時代の友人との対話。

「〝存在する〟とは、どういうことか知ってる?」

「存在すること?　知ってるよ」

「説明できる?」

「犬は存在するし、リンゴも存在するじゃない」

「ぼくが聞いているのは個々の存在者のことではなく、存在すること自体の意味なんだけど……」

「だから知ってるよ。存在するということくらい」

「それじゃあ、説明できる?」

「言葉じゃうまく説明できないけど、知ってるよ。そんなこと知らなきゃ生きていけないでしょ」

「それを『存在忘却』と言うんだよ。知っているつもりで問うことを忘れてしまっている状態……」

「いいじゃないの、それで。いまの生活で満足してるんだから、わざわざ寝た子を起こすようなこと言わないでよ」

はじめにハイデガーの『存在と時間』を取り上げますが、この本、世界三大難解哲学書の一つだと言われています。ちなみにあと二つは、カントの『純粋理性批判』とヘーゲルの『精神現象学』だそうです。でも、私たちは哲学の専門家ではないですし、誰に気兼ねすることなく大胆にハイデガーを拾い読みしながら、花咲かじいさんの哲学を考えてみることにしましょう。

マルティン・ハイデガーは一八八九年にドイツで生まれ、一九七六年に八十六歳で亡くなりました。彼が亡くなったのは私が二十一歳のときですから、私のおじいちゃんって感じかな。同い年に、ヒトラー、チャップリン、ウィトゲンシュタイン（「第九章　ウィトゲンシュタインの『論理哲学論考』を読む」で詳述）がいます。

両親ともカソリックの信者で、彼もキリスト教の洗礼を受けたクリスチャンでした。大学では神学を専攻していました。

ところが、二十歳のときに心臓発作に襲われ、さらに、二十二歳、二十五歳、二十六歳と立て続けに心臓発作に襲われます。度重なる発作に追い打ちをかけるかのように第一次世界大戦が勃発します。若きハイデガーに死の影が忍び寄ります。しかし、彼にとって神学は死の恐怖を克服するのには役立たなかったのでしょうか。彼は神学部から哲学部へ転部します。

『存在と時間』が刊行されたのは一九二七年、ハイデガー三十八歳のときです。この本、刊行されると同時に哲学界に激震が走り、「落雷のような衝撃をもたらした」「まことに革命的な一大事件」などと評されたそうです。

時は第一次世界大戦敗戦後のドイツ。ナチスが台頭してきていました。そういう不穏な時代には哲学が求められるようです。哲学のない時代は不幸ですが、哲学を必要としている時代はもっと不幸なのかもしれません。

ヒトラーが一九三三年に政権を掌握すると、驚くべきことに、ハイデガーはナチスに入党し、ナチスの後ろ盾を得てフライブルク大学の総長に就任してしまうのです。その一年後にナチスとの意見の相違から総長を辞任しますが、ハイデガーがナチスに加担したことは事実です。そこにハイデガー哲学の乗り超えるべき弱点があるのかもしれません。

ではハイデガー哲学の弱点はどこにあるのでしょうか。そんなことも頭の片隅に置きながらハイデガーの『存在と時間』を読み解いていくことにしましょう。

■存在論的差異

今までの哲学は「〇〇とは何か」という形でさまざまな問題を探究してきました。自由とは何か、善とは何か、美とは何か、自己とは何か……。そこでは探究するもの自体が存在することは疑われていません。

ところが、ハイデガーは今までの哲学は、存在自体を問うことを忘却していると言うのです。そこで彼は、その存在の問いを世界に先駆けて答えてみせようと言うのです。問題の提起の仕方はすごく魅力的だなあと思います。

『存在と時間』の本文が始まる前に一ページほどの前文がありまして、こんなことが書いてあります。

いったいわれわれは「存在する」という言葉で何を意味するつもりなのか、この問いに対して、われわれは今日なんらかの答えを持っているのであろうか。断じて否。だからこそ、存在の意味に対する問いをあらためて設定することが、肝要なのである。（マルティン・ハイデッガー著『世界の名著〈62〉ハイデガー　存在と時間』原佑・渡辺二郎訳　中央公論社）

まず「存在とは何か」という問いから始めよう、とハイデガーは言います。

では、ハイデガーの議論を追っていきましょう。

「〇〇が存在する」という文章を「〇〇が」と「存在する」とに分けます。そして「〇〇」に入る言葉を「存在者」と呼び、「存在する」ことを「存在」と呼びます。存在者はたくさんあります。動物も植物も人間も科学も数学も歴史もみんな「存在者」です。

では「存在」は存在するでしょうか。試しに存在を存在者として問うてみましょう。

存在は存在するか？　意味不明！

そうです。「存在」とは存在者を存在者たらしめている前提なのです。ですから「存在」の本質をいくら存在者の中に求めてもその答えを見出すことはできません。パソコンのアプリをいくら調べてもパソコンのOS（Operating System）の働きについてわからないのと似ています。「存在者」と「存在」は論理のレベルが違うのです。ハイデガーはその違いのことを「存在論的差異」と呼びました。

この議論は「存在の不思議」ということにつながってくるのではないでしょうか。

存在するってどういうことなのだろう、私はなぜ存在しているのだろう、なんて考えたことありませんか。普段はあまり考えませんね。でも、限界状況に陥ったようなとき、たとえば、医者から余命宣告を受けたとき、突然会社をリストラされたとき、幼い自分の娘を交通事故で亡くしたとき、人は「存在するって一体どういうことなんだろう」、「人生って一体何の意味があるのだろう」といった根源的な問いに襲われるのではないでしょうか。そのとき、日常世界は無意味と化し、いままで無意味であった「存在」への問いが大きな意味をもって迫ってくるのです。「存在」そのものが大きな「質問」となって立ちはだかるのです。

この章の冒頭にちょっとニヒルな友人を登場させましたが、彼はそんな存在問題について一切関心を示しませんでした。彼はそのような限界状況を思いやる想像力に欠けているのです。たとえ、彼がいま限界状況に直面していなくても、現に災害や犯罪や病気によって限界状況に直面している人はたくさんいます。自分の家族や親しい友人がいつなんどきそのような状況に襲われるとも限りません。しかし、彼には、そのような人に寄り添う心が欠落しているのではないでしょうか。ここは、まず「存在者」について考えてみることにしましょう。

リンゴは存在するし、人間も存在する。リンゴと人間は同じ「存在者」ですが、両者には決定的な違いがあります。何だと思いますか？

それは人間だけが存在するということを了解している存在者だということです。この存在することを「了解している」とは、単に知識として「知っている」ということではありません。たとえば自動車の運転を了解していると言ったら、自動車の運転についての知識をあれこれもっているということではなく、自動車を実際に「運転できる」ということです。水泳だったら「泳げる」ということですし、語学なら「話せる」ということです。

同じように人間が存在を了解しているとは、存在についてのあれこれの知識をもち合わせているということではなく、実際に「存在できる」ということです。

存在できる？

妙な日本語ですね。「フランス語が話せる」ということならすぐわかるし、人にも自慢できますが、「存在できる」なんて人に自慢できることでもないし……。

実は、あらゆる存在者の中で、人間だけが、自分のなりたいもの（小説家、歌手……）になる可能性をもった存在者なのです。そして、それは常にその人の自由な選択に委ねられていきます。自ら選択し、実際に行動を起こし何者かになることができる。これが人間に特有の「存在できる」ということの意味なのです（確かにそんなこと、リンゴにはできんな……）。

現存在は、おのれ自身に委ねられている可能存在であり、徹頭徹尾被投された可能性であるということ、このことにほかならない。現存在は、おのれの最も固有な存在しうることに向かって自由であるという可能性なのである。
（前掲書、第三十一節）

現存在はそのつど本質上おのれの可能性であるゆえ、この存在者は、おのれの存在において、おのれ自身を「選択し」、獲得することが**できる**のであり、おのれを喪失し、ないしは、けっして獲得しなかったり、たんに「外見上」獲得したりすることができるのである。
（前掲書、第九節）

自分の可能性に向けて挑戦し続けること、いまある自分を超えて理想の自分になろうとし続けること、もちろんうまくいくこともあれば、そうでないときもあるけれど、そのように挑戦し続けることがよく生きることだと言えそうですね。

この「可能性として存在する」という人間独自の存在のあり方をハイデガーは「実存」と呼びました。リンゴは単に存在するだけ。人間は実存する存在。

あなたは実存していますか？　それとも存在しているだけですか？

■現存在（げんそんざい）

デンマークのキルケゴールという哲学者は、「主体性が真理である」と言いました。神から与えられた可能性（才能）を実現しようとするところに人間の生きる意味があると考えました。洗礼を受けて、毎週日曜日に教会へ通っているからクリスチャンでございます、なんていうのは嘘っぱちだ。洗礼を受ければクリスチャン、受けていなければ求道者なんて区別も嘘っぱちだ。それじゃ洗礼は免罪符*と変わらないじゃないか。決して到達できないであろう「真のキリスト者」という目標に向かって不断に努力し続ける者こそクリスチャンと呼ばれるべきだ。いいですねえ。とはいうものの、この主体性の哲学とハイデガーの哲学とは、重なる部分はあっても、人間理解に対する大きな違いがあります。その点については後で説明します。

*中世ローマカトリック教会が、罪を犯した者に対して、現世における処罰を免除するために販売した証書。

人間は数ある存在者の中でもひときわ際立った特別な存在の仕方をしています。その特殊性を強調するためにハイデガーは、人間のことを他の「存在者」と区別して「現存在」と呼んだのです。

人間は動物と違って現在が差異化され、過去と未来という時間性が大きく開かれています。執拗に過去を悔やんだり、過剰に未来に希望を抱いたりします。人間とは、そのような時間性の中に投げ込まれた存在だという意味で「現存在」という言葉を使ったのです（確かに我が家の愛犬ブンが過去を執拗に悔やむことはないな……）。

しかし、この章では武ばった言い方はせず「人間」で押し通しましょう。「人間」をただ「現存在」と呼び変えるだけでは、哲学者ぶっているだけですものね。問題はその内実をおさえておくことです。

先ほど、人間のことを可能性として存在する「実存」と定義しましたが、これは、人間は金槌のように「釘を打つためのモノ」といった一義的な存在者ではなく、常にさまざまな可能性をもって変容しうる多義的な存在者であるという意味です。

「人は女に生まれるのではない。女になるのだ」とボーヴォワール（フランスの哲学者サルトルの恋人）は言いましたが、それはなにも女性だけの話ではありません。人間はすべて何者かで「ある」存在ではなく、何者かに「なる」存在なのです。

もう一つ。机やハンマーといった存在者は、長さや重さといった科学のカテゴリーで捉えることができます。しかし、「いかに生きるべきか」といった実存的問題は、科学のカテゴリーでは解決できません。身長・体重といった数値とは関係ありませんからね。そこでハイデガーは、科学のカテゴリーとは別に「実存カテゴリー」というものを考えました。実存カテゴリーとは、この後すぐ説明しますが、「世人（せじん）」「世界内存在（せかいないそんざい）」「先駆的決意性（せんくてきけついせい）」といった人間に関するハイデガー独自の用語で構成されています。

一方、ハイデガーが存在者と現存在を区別したように、カントという哲学者も、人間をモノ（存在者）と区別して「人格」として捉えようとしました。人格とは他に取り替えのきかない尊厳をもった存在のことです。そのうえでカントは自らの考えを次のように定式化しました。

「汝の人格と他者の人格の内なる人間性を手段としてのみではなく常に同時に目的として扱うように行為せよ」

（カント著『実践理性批判』岩波文庫）

カントは、人間を決してモノのように手段として扱うな、互いに目的として尊重しあって生きていけと言っているわけです。
ハイデガーの道徳哲学というのはありませんが、人間を存在者と区別して現存在として特別扱いしたわけですから、当然カントの道徳哲学に近づいていく方向性をもっていると思います。
と、ここまでおさえておけば現存在のことを「人間」と呼んでも差し支えないでしょう。
では人間という特別な存在者は、どのような存在者なのでしょうか。ここからハイデガーの人間分析（現存在分析）が始まります。

■世人

ハイデガーは、人間は本来的には、可能性として存在する実存者であると定義しましたが、普段はそこから「頽落（たいらく）」して非本来的な「世人」として生きていると言います。
では世人とは、どのような存在者なのでしょうか。
世人とは、自分の頭で考えない人、いつもその場の空気を読んで生きている人のことです。
日本語だと「付和雷同」という言葉が近いでしょうか。
「付和雷同」について、辞書ではこう説明されています。

自分にしっかりとした考えがなく、他人の言動にすぐ同調すること。▽「付和」は定見をもたず、すぐ他人の意見に賛成すること。「雷同」は雷が鳴ると万物がそれに応じて響くように、むやみに他人の言動に同調すること。

（『新明解四字熟語辞典』三省堂）

また、鹿児島県の志布志中学校のホームページでは、次のようなメッセージを発しています。

あなたの友だちが、学校にお菓子を持ってきて、あなたにあげると言ったらどうしますか。他の友だちもそのお菓子に手を伸ばしたらどうしますか。お菓子だったらいいんですか？　タバコだったら？　麻薬だったら？　学校にお菓子を持ってきた友だちを見たら、「私は要らないよ。それより、こんなものを持ってきたらいけないよ」などと言えますか？　それとも、その友だちや周りの良くない行動をする人と同じ行動や言動をするので

すか？
　または、これがいじめだったらどうしますか？　いじめの現場を見たら「僕は（私は）弱い者いじめはよくないと思うよ」といじめている人にはっきり言えることが大切です。まさか、いじめている人と同じ行動を取る人は、本校にはいないと思います。が、付和雷同して他の人と同じ行動や言動をしないようにしましょう。
　これからの生活で付和雷同することがないよう、自分の考えをもてるように精進しましょう。

（「志布志中の日々」２０２０年9月10日『付和雷同（ふわらいどう）』より）

このメッセージは「世人」に対するとてもわかりやすい解説になっています。
しかし、そうは言っても、社会生活の中では付和雷同しなくては生きていけないことも事実です。会社の中で自分の意見を主張しすぎて衝突ばかりしていてはサラリーマンとして生きていくことはむずかしいでしょうからね。学校の先生だって教育委員会には付和雷同しているかも……。

　誰かであるのは、このひとでもなければ、あのひとでもなく、そのひと自身でもなく、幾人かのひとでもなければ、また、すべての人々の総計でもない。「誰か」は、中性的なものであり、つまり世人なのである。［……］われわれは、ひとが楽しむとおりに楽しみ

興ずる。われわれが文学や芸術を読んだり見たり判断したりするのも、ひとが見たり判断したりするとおりにする。〔……〕われわれは、ひとが憤怒するものに「憤怒する」のである。

（前掲『世界の名著〈62〉ハイデガー　存在と時間』第二十七節）

「世人」には、匿名的、中性的、平均的な顔のない「のっぺらぼう」というお化けのような不気味なイメージがあります。喜怒哀楽などの感情まで、実体のないみんなに合わせてしまうわけです。なんだか日本人のことを言われている気がしませんか。私は「沈没船のジョーク」を思い出しましたよ。

世界各国の人々が乗った豪華客船が沈没しかかっています。しかし乗客の数に比べて脱出ボートの数が足りません。そこで船長は、元気な乗客をなんとか海に飛び込ませようとして、国ごとにその国民性に合った説得を行います。

アメリカ人には――「飛び込めばあなたは英雄ですよ」
イタリア人には――「飛び込むと女性にもてますよ」
フランス人には――「飛び込まないで下さい」
イギリス人には――「飛び込めばあなたは紳士ですよ」
ドイツ人には　――「飛び込むのがこの船の規則になっています」
日本人には　　――「みんな飛び込んでますよ」

うーん。お見事！　日本人は「みんな」という言葉に弱いんですね。まさに「世人」の代表選手は日本人かも。「赤信号　みんなで渡れば　怖くない」なんて言いますしね。

> そうした世人は、誰でもない者であり、この誰でもない者にすべての現存在は、たがいに混入しあって存在しているときには、そのつどすでにおのれを引き渡してしまっているのである。
> （前掲書、第二十七節）

「ほんとうの自分（＝実存者）」が「にせものの自分（＝世人）」に身柄を引き渡してしまっているというイメージです。それは、自分を否定して世間に囚われる生き方です。先輩がこう言っているから、上司がそう言っているから、みんながそうしているからといって、自分の頭で考えることをせず付和雷同してしまう生き方。皆さんも思い当たるところありませんか。

では、世人とは具体的にどのような特徴をもっているのでしょう。次は「世人分析」です。

ハイデガーは「世人」の特徴を三つ挙げています。「空談（くうだん）」「好奇心」「曖昧性」です。

「空談」という日本語はありませんが、雰囲気はわかりますね。「世間話」といったニュアンスでしょう。世間話も対人関係の潤滑油にはなりますが、度が過ぎるとうんざりしてきます。

これに対して本来的なものは「語り」と呼ばれます。こちらは、互いに自分の頭で考え抜き、本音を闘わせながら、自らの可能性を見出していく真の対話です。これまた、語り一辺倒では息が詰まってしまいそうですが……。

二つ目は「好奇心」。これは、いつも何か面白いことはないかとスキャンダラスなことを追い求める心です。テレビのワイドショーなんか好奇心から発した噂話満載ですよね。噂話に夢中になると我を見失ってしまいます。というより、ほんとうの問題から目をそらすためにスキャンダラスな問題に好奇心を向けるのです。これに対して本来的なものは「了解」です。「了解」とは、問題を自分自身の実存の可能性として引き受け、自分に何ができて何ができないのかを真剣に考える態度のことです。

三つ目は「曖昧性」。重大な問題についても「空談」と「好奇心」に基づいていれば、真に自分が行動すべきことに対しては曖昧になってきます。何か議論したような気になるだけで、結局、自らは何も行動せず、問題は曖昧なまま、隠されたままです。

空談・好奇心・曖昧性。これが、世人の三点セットです。

このような「世人」が亡くなりますと、戒名は「頽落院世人空談居士」でしょうなあ～。

■被投的企投

ハイデガーは、人間は常に「情状性」に支配されていると言います。「情状性」とは「気分」というほどの意味です。人は何かを体験したときある種の「気分」に襲われます。「気分」は自分の意思に関わりなく「向こうから」やってきます。「気分が悪い」「気が重い」「ウキウキした気分」……。こういう気分は自ら選び取ることはできません。恋愛感情もそうです。それはある日突然、自分の感情をねじ伏せるようにしてやってきます。このように人間はまず気分＝情状性に支配される受け身的な存在なのです。このようなあり方を「被投性」と言います。世界の中に投げ込まれているといったイメージです。そしてこの「気分」を適当にごまかすのではなく、真に受け止めること。そうすると、自分が何をなすべきかという自分自身の内なる声が聞こえてくる。その声にしたがって行動することを「企投」と言います。まさに将来の可能性の中に自分自身を投げ込むといったイメージです。ですから、ちょっと堅苦しい言い方ですが、ハイデガーは人間を「被投的企投」する存在だと言います。これが「実存」という言葉のハイデガー的な意味です。

一方、世人は「企投」せず「空談、好奇心、曖昧性」の三点セットでぬくぬくとゆるく生きているわけですが、「情状性、了解、語り」という契機をつかむことによって本来的な生き方に転じることができます。自分に与えられた気分（情状性）をしっかり受け止め、それを実存論的問題として了解し、自分の可能性＝時間性めがけて「企投」するのです。

ハイデガーは、世人から実存者へ変わることを「変様する」と表現していますが、私はいまある自分を乗り超えていくといった意味でもう少し強く「超越する」と言ってみたいですね。

いずれにしても、本来的な生き方というものがどこかにあるわけではないのです。人は常に非本来性である世人なのです。しかし、本来性に向けて自分を企投すること、自分自身を超えていくこと、変様していくこと、その運動性の中にこそ人間が存在する根拠があるのです。平均的であることばかり気にして企投できない人間、超越できない人間、変様できない人間。それは「リンゴ」と同じ、ただの「存在者」にすぎないのです（キビシイ～）。

■本質直観

人が世人に陥っているということは、他者に付和雷同して世事に紛れて我を忘れて生きているということです。では、なぜ人は世事に紛れて我を忘れて生きているのでしょうか。それは「みんなと一緒」だと安心感を得られるからです。それではなぜみんなと一緒だと安心感が得られるのでしょうか。それは、一人でいると不安になるからです。つまり、人は不安から目をそらすために世人に身を委ねているのです。そうして人は世人の深みへとはまっていきます。

逆に言えば、もしいまあなたが不安に囚われているとしたら実はチャンスなのです。

> 不安は、最も固有な存在しうることへとかかわる存在を、言いかえれば、おのれ自身を選択し把捉する自由に向かって自由であることを、現存在においてあらわにする。
>
> （前掲書、第四十節）

不安は「いまのままの自分ではいけない」という声を私に告げ知らせます。不安は、世人という眠りから覚醒させようとする情動なのです。つまり、チャンス到来なのです。

では、その「不安」はどこからやってくるのでしょうか。不安は恐怖とは違います。恐怖には対象があります。犬が怖い、地震が怖い、女房が怖い……。ところが不安には対象がありません。不安とは、対象のないぼんやりとした気分のことです。

不安についてさらに突っ込んで考えてみましょう。あらゆる先入観や偏見をカッコに入れ、いろいろな宗教思想や哲学もカッコに入れて考えてみましょう。ただひたすら自分の心に向かって誠実に「不安」という言葉の本質をどこまでも問い進めていくのです。

実はこれは「本質直観」と呼ばれる方法で、ハイデガーの師匠のフッサールという現象学者が編み出した方法です。これは哲学者にしかできない特別なものではなく、誰にでもできる簡単な方法です。素直に自分の心を内省すればよいのです。では、実際にやってみましょうか。

朝起きると不安な気分に襲われる。なぜそんな気分に襲われるのだろう。あと数カ月で定年退職だが、その後の人生が心配だ。妻と二人でうまくやっていけるだろうか。どうやって老後を生きていけばよいのだろう。やり残したこともある。そういえば健康診断で引っかかった項目もある。あと何年くらい生きられるのだろう……。こうやって不安の本質直観を深めていくと最終的に不安とは「私はいつか必ず死ぬ」という事実から由来していることに気づくのではないでしょうか。誰でも「不安」を本質直観すれば「死の不安」に行き着くのではないでしょうか。どんな夢や理想を描いていたとしても、結局死んだら終わりですからね。

そこでハイデガーは続いて「死」についての本質直観を試みます。

> 現存在の終りとしての死は、現存在の最も固有な、没交渉的な、確実な、しかもそのようなものとして無規定的な、追い越しえない可能性である、と。死は現存在の終りとしておのれの終りへとかかわるこの存在者の存在の内で存在している。
>
> （前掲書、第五十二節）

自分の死は誰にも代わってもらうことはできないな。しかし死が訪れることだけは確実だ。どんな対策をとってもそこから逃れることはできない。死は一つの可能性にすぎないけれど、他のすべての可能性を奪い取ってしまう根源的な可能性だ。生きている限りその可能性は常につきまとっている。人間とは死の可能性に関わりながら生きる存在なのだ。

こんなふうに、ハイデガーは死の本質直観を行いました。

私たちは他人の死をたくさん目撃します。テレビニュースを見ていれば、交通事故や新型コロナの死者数を毎日耳にします。しかし、死とはほんとうは他人の死のことではありません。自分の死のことなのです。

美術家のマルセル・デュシャンは、自分の墓碑銘に次のような言葉を刻みました。

されど、死ぬのはいつも他人ばかり

彼は、一九一七年、ニューヨークのアンデパンダン展に既製品の男性便器にR.MUTTという架空の人物のサインをした作品を出品しました。既製品の男性便器が作品だと主張したのです。案の定、審査員たちからはこっぴどく批判され、公募展への出品を拒否されました。これが有名な『泉』という作品です。

しかし、デュシャンは、芸術作品はオリジナルでなければならない、芸術作品は美しくなければならないといった自明性に「否」を突きつけたのです。ですからこれは鑑賞する作品というよりは、作家と鑑賞者との関係に問題を投げかけたコンセプチュアル・アートなのです。

既製品の芸術作品はだめですか。それなら、あなたの既製品のような人生はそれでいいのですか。そう問いかけているデュシャンの声が私には聞こえます。この作品は「世人」という「既製品の人生」を象徴しているのです。あなたの人生は既製品の便器のようだと。ですからタイトルが『泉』ではなく『世人』だったら面白かったですね。

さて、私たちは、人間は必ず死ぬということを疑っていません。でも、それはいつだって「他人の死」のことなのです。自分の死については曖昧なまま思考停止しています。しかし、死を他人の死体の中に封じ込めることはできません。死は生きている私の中にのみ存在し、私に何事かを問いかける存在なのです。

人間はさまざまな可能性を生きています。作家になる可能性、サッカー選手になる可能性、宝くじに当たる可能性……。しかし、これらさまざまな可能性をすべて奪い取ってしまう根源的な可能性、決して追い越すことのできない可能性。それが死の可能性です。私は必ず死ぬのです。この事実を隠蔽しようとする態度が私の心に不安をもたらすのです。ですから、世人とは、不安を隠蔽しようとする人たち、そして死を隠蔽しようとする人たちのことなのです。

そうすると、こんなふうに考えられませんか。死の可能性から目をそらさず、死を直視することによって死の不安を乗り超えるような生き方があるのではないか。

■先駆的決意性

そうです！　そのような生き方によって私たちは「世人」という非本来性から這い上がり、本来的な「実存者」になることができるのです。

この死に直面する態度のことをハイデガーは「先駆」と呼びます。未来という時間を死という極限まで引き延ばし先駆けるのです。自分の死をとことん考え抜くのです。すると「いま・ここ」が重みをもってきて、孤独な実存者として目覚めることができるのです。この目覚めのことをハイデガーは「決意性」と呼びました。二つ合わせて「先駆的決意性」です。

世人にとっての「過去」はすでに過ぎ去ったものとしてほぼ忘却されています。「未来」は未だ来ないものとして漠然としています。「現在」は目の前の興味あることにしか関心が向いていません。そこでは現在―過去―未来という時間性の連関はゆるみきっており、「目先の現在」だけが突出しています。

これに対して先駆的決意をなした実存者にとっての「過去」は、総括され意味を与えられています。「未来」は死を先駆しているため死の可能性を見据えています。「現在」は過去と未来を見据えたうえで、いまここで為さねばならぬことが見えています。ここでは現在―過去―未来という時間性の連関は緊密に結びつき、「可能性としての未来」が圧倒的な優位をもっています。

では先駆的決意性をもつと、具体的にはどんな生き方ができるのでしょうか。

芥川龍之介は「唯ぼんやりした不安」と言い残して自殺しました。彼は『或旧友へ送る手記』（青空文庫）の中でこの不安の正体について書いています。読んでみましたが、私にはその理由はよく理解できませんでした。ただ、「しみじみ『生きる為に生きてゐる』我々人間の哀れさを感じた」と書いてありますから、もしかしたら彼は世人（凡庸な作家）として生きることを拒否し、実存者（真の作家）になろうとしたが、それができないと感じ自殺したのではないでしょうか。そういう意味では「先駆的決意性」というハイデガーの方法論は、人によっては危険をはらんだものだと言えるかもしれません。

もう一つこんな話があります。東京タイムズ社の創設者に岡村二一さんという方がいました。名前は「にいち」と読みます。名前の由来は、彼は長男でしたが、実は彼が生まれる前に赤ちゃんが生まれてすぐに死んでしまったのです。そこで両親は、亡くなった子どものことを忘れないために、この子は長男だけど二番目に生まれたのだという意味を込めて「二一」と名づけたそうです。

彼が小学生のころ、教師が教室でこんなことを言ったそうです。

「名前というのはほんとうに因縁があるものだ。私の知っている中村五十六という人は五十六歳で死んだ。私の叔父の七五郎さんは七十五歳で死んだ。明治天皇の睦仁（むつひと）様は六十一歳で亡くなられた……」

すると教室の友だちが言いました。

「にいち、お前、二十一歳で死ぬぞ」

先生はあわてて、これは冗談だから気にしないようにと二一少年に言いましたが手遅れでした。二一少年の心にはそれ以来「死」という観念が常につきまといました。彼は二十一歳になるまで常に「死」というものを考えながら生きてきました。やがて彼は二十一歳になりましたが、何も起こらず結局七十七歳まで生きました。そして彼は自分の人生を振り返って次のような言葉を残しました。

「結果的に、死を覚悟した日々は私の人生を豊かにしました」（セブンスデーアドベンチスト天沼教会秋の講演会「饅頭のような聖書の22の話　第7回　死とはいったい何なのか」講師：河原久）

二一少年は、先駆的決意性をもって生きたと言えないでしょうか。死を意識し続けたことで人生に豊かさがもたらされたケースだと言えないでしょうか。こういう例もあるんですね。

しかし、私たち「世人」にとって「先駆的決意性」なんて言われてもなかなかピンとこないでしょう。そこで先人たちの名言をいくつか紹介しておきますので参考にしてみてください。

まずは、江戸時代に書かれてしばらく禁書となっていた『葉隠（はがくれ）』の中の有名な一節。

> 武士道といふは、死ぬ事と見付けたり。二つ二つの場にて、早く死ぬはうに片付くばかりなり。別に仔細（しさい）なし。胸すわつて進むなり。
>
> （訳）武士道の本質は、死ぬことだと知った。つまり生死二つのうち、いずれを取るかといえば、早く死ぬほうをえらぶということにすぎない。これといってめんどうなことはないのだ。腹を据えて、よけいなことは考えず、邁進（まいしん）するだけである。
>
> （三島由紀夫著『葉隠入門』新潮文庫）

「早く死ぬほうをえらぶ」というのは、「より困難な道を選べ」ということです。つまり、「先駆的決意性」の葉隠的実践論は、「目の前に二つの選択肢があったら、より困難な道を選択せよ」ということになります。

江戸時代の武士なら、ハイデガーの「先駆的決意性」なんて、あっさり理解できたのではないでしょうか。ハイデガー哲学は武士道に通じていますね。

次は宗教改革で有名なマルティン・ルターの言葉。「もし世界が明日滅びるとしたら、あなたは今日一日をどのように過ごしますか」という質問にルターはこう答えました。

Even if I knew that tomorrow the world would go to pieces,
I would still plant my apple tree.
たとえ明日世界が滅びようとも、私はリンゴの木を植え続けるだろう。（著者訳）

リンゴは実をつけるまで数年かかります。しかし、リンゴの木を植えることが私の喜びなのだ。たとえ明日世界が滅びようとも、私は「いまの喜び」を大切に、リンゴの木を植え続けたいとルターは言っているのです。内山くんはこの言葉、「先駆的決意性」なんていう大上段に構えた物言いより好きだそうです。

「たとえ明日世界が滅びると知っても」というところを「たとえ歳をとって余命が短くなったとしても」と言い換えてみましょうか。

そのとき「歳をとっているからもう無理」と言うのではなく、たとえ歳をとっても「いまの喜び」を大切にしつつ、新しいこと、困難なことに挑戦する心を失いたくないですね。

最後にマハトマ・ガンジーの名言も紹介しておきましょう。

Live as if you were to die tomorrow. Learn as if you were to live forever.
明日死ぬと思って生きよ。永遠に生きると思って学べ。（著者訳）

カッコイイ〜。

私は、若いころにハイデガーを読んで随分勇気を与えられました。ただ、彼の考えはあくまで理論的可能性にすぎません。「ではお前は具体的にどのような行動を起こすのか」と問われたら答えに窮してしまいそうです。そこで、参考になるのが孔子の『論語』です。

吾十有五にして学に志す――志学(しがく)
三十にして立つ――而立(じりつ)
四十にして惑はず――不惑(ふわく)
五十にして天命を知る――知命(ちめい)
六十にして耳順(したが)ふ――耳順(じじゅん)
七十にして心の欲する所に従へども、矩(のり)を踰(こ)えず――従心(じゅうしん)

（著者訳）私は十五歳で学問に志を立てた。三十歳で自立できるようになった。四十歳で心に迷いがなくなった。五十歳で天から与えられた使命を自覚した。六十歳で人の言うことに素直に耳を傾けることができるようになった。七十歳で好き勝手なことをやっても、人の道を踏みはずすことがなくなった。

いいですねえ。でもこれ二千五百年前に書かれたものですからね。年齢が合ってないでしょ。人生百年時代。私ならこう書き換えますね。

六十にして学に志す――志学
七十にして立つ――而立
七十五にして惑はず――不惑
八十にして天命を知る――知命
八十五にして耳順ふ――耳順
九十にして心の欲する所に従へども、矩を踰えず――従心

皆さんも皆さんなりに書き換えてみてください。もちろん「八十にして学に志す」から始めるのもありですよ。その場合、その後の人生はちょっと駆け足になりますけど……。
一般に西洋哲学は普遍性・客観性を求めるので、年代ごとに哲学が変わるという発想はありません。男でも女でも、青年でも壮年でもどんな年代でも通じる普遍性が求められます。しかし、そこに西洋哲学の欠点があるのではないでしょうか。若いときには若いときの、中年には中年の、歳をとったら歳をとったときの哲学があってもよいのではないでしょうか。そこで、私は少し粗削りですが、次のように考えてみました。

十代から二十代にかけての青春時代は、世人になることに抵抗して「死の先駆」を遂行し「実存者」たらんとするロマンティシズムの時代。

しかし、やがて社会人になるとそんな考え方は挫折し、「世人」として死を隠蔽し、非本来的な生き方に埋没し、それが大人になるということだと自分に言い聞かせるリアリズムの時代。

そして社会の第一線を退き老年期にさしかかると、もはや未来に希望はなく、身体は衰え、心は過去に向かうセンチメンタリズムの時代……ではなく、老年期こそ、人は「実存者」として、もう一度生き直すチャンスが到来しているのです。抑圧されたロマンティシズムを解放する時代としての老年期。老年期は、もはや他人の目を気にして世人として付和雷同して生きる必要も少ないし、死そのものも現実味を帯びてきますから、死の先駆もしやすい。

だから老年期は、「もう一度ロマンティシズム」「もう一度学に志す」時期なのです。

それでも多くの人は、今までの惰性の中で極めて非本来的な生き方を選択してしまいます。社会人をリタイアして、あり余る時間があるというのに、ダラダラと生きてしまうのです。「世人」から「老人」へ——。これ、最悪のパターンじゃないですか。

■世界内存在（せかいないそんざい）

世界とは何でしょうか。デカルト以降の近代哲学ではこう考えました。

世界とは私たちの主観の外にある客観世界のことである。

すると、次のような問いが生まれます。主観（内部世界）が捉えた内容と客観（外部世界）の内容はほんとうに一致しているのだろうか。

そして、こんな疑問も生じてきます。そもそも外部世界はほんとうに存在しているのだろうか。内部世界、つまり私の世界しか存在していないのではないだろうか（独我論）。

実はこの問いは「実在問題」（哲学のスキャンダル）と呼ばれる近代哲学の大問題となっているのです。

ところが、ハイデガーはそれは見せかけの問いにすぎない。真剣に考えるには値しないと言います。

ハイデガーにとって世界とは私の外部に存在するものではなく、巨大な意味の網の目が張り巡らされたネットワークのようなものなのです。私たちはその意味のネットワークの中にすでに投げ込まれて生きているのです。世界と私とは密接に結びついて存在しているのです。世界は私であり、私は世界なのです。両者は不即不離です。そういう人間の存在のあり方をハイデガーは「世界内存在」と呼びました。ですから世界だけ取り出して世界とは何か、私だけ取り出して私とは何かと問うことは意味がないのです。

たとえば、目の前にリンゴがあって、「このリンゴは何色ですか」という問いを立て、「このリンゴは赤い」と答えたとしましょう。これは客観的な真理でしょうか。「真理」とはいかなる条件にも依存しないで存在する客観的で普遍的な事実です。

そこでよく考えてみると、「リンゴが赤い」というのは、太陽光線や蛍光灯の下で見るという条件のもとで成立していることがわかります。実はリンゴは光源が変われば赤く見えないのです。

赤いリンゴに青緑色の光を当てると黒く見えます。また、黄色いバナナに青色の光を当てると黒く見えます。このように、物体の色は「光源」に依存しています。赤いリンゴや黄色いバナナは、「昼間の太陽光の下で」という条件付きで赤や黄色に見えるということにすぎないのです。光源が変われば見える色も変わります。つまり、「このリンゴは何色ですか」と問うたとき、私たちの生きている世界から切り離された客観的で普遍的な答えは存在しないということなのです。

リンゴは太陽光線の下では赤、青緑色の光源の下では黒です。また、同じリンゴでも、青森のリンゴ農家にとってのリンゴと果物アレルギーのある人にとってのリンゴはまったく違ったものとして立ち現れてくるでしょう。青森のリンゴ農家にとってのリンゴは、生きていくために大切なモノ。一方、果物アレルギーの人にとってのリンゴは、生きていくために絶対に避けなければならないモノ。

このように、人間の前に立ち現れるモノは、さまざまな条件や文脈という意味のネットワークの中で立ち現れてきます。ですから、この意味のネットワーク（＝世界）からモノを切り離すことはできないのです。

世界から切り離された主観、即ち「無世界的な主観」を考えることも、主観から切り離された世界、即ち「無主観的な世界」を考えることも現実を遊離した空虚な思弁にすぎないのです。

主観なき世界は空虚であり、世界なき主観は盲目である。

うん、決まった！

実は、これ、カントの「内容なき思惟は空虚であり、概念なき直観は盲目である」（『純粋理性批判』）のパクリでした。

ちなみにこの言葉の前段「内容なき思惟は空虚」というのは、経験を無視して理性だけを重視する考え（合理論）は空虚だよねという話です。そして後段の「概念なき直観は盲目」というのは、概念という働きを無視して経験だけを重視する考え（経験論）は不毛だよね、という話です。

カントは、感覚的に受容したものを概念によって処理することによって初めて認識が成り立つと考えました。

人間は「リンゴ」「赤い」「丸い」「甘い」という多様な感覚を受容します。でもそれだけでは認識には至らない。これを「AはBである」といった概念の力（悟性）によって、「このリンゴは赤い」「このリンゴは丸い」といった命題にまとめ上げることができると考えたのです。直観だけでは認識はできないよ、概念の力が加わって初めて認識できるんだよ、とまあこういう話です。哲学史的には、これによって合理論と経験論を統一したという話になっていますが、それにしても、どうしてこんな証明もできないような話を自信をもって言えるのかなあ〜。

話を戻しましょう。世界内存在とは、要するに「箱の中に饅頭が入っている」というのとは違うということです。箱の中の饅頭なら、箱から取り出していろいろ調べてみることができます。しかし、人間は世界と一体化して存在しているので、世界から切り離して調べることはできないのです。

人間を饅頭のような存在者だと考えるから、人間とは何か、世界とは何かといった無意味な問いを発してしまうのです。人間は存在者とは違って「世界内存在」という独特なあり方をしているんだとハイデガーは強調します。このあたり、ちょっと怒っている感じですよ。

そもそも世界というものが存在しているのかどうか、また、世界の存在が証明されうるのかどうかという問いは、世界内存在としての現存在が設定する問いとしては――だが、そのほかの誰がこうした問いを設定するのであろうか――無意味である。

（前掲『世界の名著〈62〉ハイデガー　存在と時間』第四十三節）

たとえば、「靴を履く」という行為一つとっても、巨大な意味のネットワークに取り込まれていることに気づくはずです。

靴を履くのは外出するため。外出するのは駅に行くため。駅へ行くのは電車に乗るため。電車に乗るのは会社へ行くため。会社へ行くのは働くため。働くのは給料を稼ぐため。給料を稼ぐのは家族を養うため……といった具合です。このように私たちは、「世界とは何か」などと考える前に、すでに世界という意味のネットワークに取り込まれている存在なのです。そのような人間のあり方をハイデガーは「世界内存在」と呼んだのです。

人間は意味連関にからめとられた世界内存在である。言われてみれば確かにそのとおりなのですが、無性に腹が減ってご飯を食べるのと、無性に映画が観たくなって映画館へ行くのとでは、世界内存在のあり方が随分違うように感じませんか。前者は生理的現象。後者は観念的現象です。

私たちは、生物学的身体のために食生活を気にしたり、運動したりして健康を維持しようとします。これは生物学的＝世界内存在の話。一方で、音楽や美術、演劇、文学、哲学、歴史といった文化的な営みの中で育まれる観念的身体も存在していて、その観念的身体が音楽を聴くことや小説を読むことを欲しています。こちらは観念的＝世界内存在の話。

ハイデガーは両者を分けて考えていませんが、人間は生物学的身体と観念的身体によって二つの異なった世界体験をしていると考えたい。そうすると、生物学的身体の「身体余命」に対して、観念的身体の「精神余命」というものも考えることができるのではないでしょうか。

「身体余命」については毎年厚生労働省が発表しています。

それによりますと、六十歳の平均余命は女二八・八四年、男二三・五九年。七十歳の平均余命は女一九・八九年、男一五・五六年。八十歳は、女一一・七四年、男八・八九年。九十歳で女五・四七年、男四・一四年です。（「令和四年簡易生命表」）

では、観念的身体の「精神余命」はどう考えたらよいのでしょうか。

あなたの精神余命は何年？

定年退職して「会社内存在＝世界内存在」から離脱すると、ストレスから解放された生活が送れると思いがちですが、これが大間違い。実はこれは認知症への道へつながっているのです。

ストレスの少ない生活とは、脳に負荷のかからない生活です。しかし、筋肉に負荷をかけなければ筋肉がどんどん衰えていくように、脳も負荷をかけなければどんどん衰えていきます。

内山くんは記憶力がものすごくよいのですが、その理由は、視覚障がいがあるため、日常生活を送るだけでも健常者以上に脳に多くの負荷がかかっているからだと思います。彼は重要なことはボイスレコーダーに録音しているのですが、最近は機械の操作が面倒くさいので暗記することにしているそうです。すごいなあ～。

健常者である私たちが、たった一日でも目隠しして生活しなければならないとしたら、ものすごいストレスがかかるでしょうね。そんな私たちが脳に負荷のかからない生活をだらだらと送り続けていたら、あっという間に「ＭＣＩ」になってしまいますよ。ＭＣＩ？　「ＭＣＩ」とは軽度認知障害のことで、記憶力、意欲、感情の低下を特徴としますが、日常生活はふつうに送れるので気がつきにくいと言われています。しかし、ＭＣＩは六十五歳以上の四人に一人にみられ、毎年一〇パーセントの人が認知症に移行していきます。七年後には五〇パーセントの人が認知症になる計算ですから、ＭＣＩになったら精神余命は七年です。

でも心配ご無用。回復の可能性も予防法もあります。それは、何らかのコミュニティーに所属し、「世界内存在」として生きることです。自分にふさわしい目標を定めて、その実現に向けて行動を起こすことです。「企投」するのです。死を「先駆」することによって、「いま」をかけがえのない「とき」として捉え直し、プロジェクトに参画し続けるのです。そうすれば脳に負荷がかかり、認知症への道は回避できます。私たちのこの「花咲かじいさんの読書会」もまさに生きるためのプロジェクトとして行っているわけです。

ウォーキングをしているから大丈夫ですって？　世界の意味連関から離脱した無目的なウォーキングは精神余命を延ばすことにはつながりませんよ。ただ漫然と歩いているだけでは脳に負荷がかかりませんから。無目的ウォーキングのことを「徘徊」と言うのです。

ここは早歩き、ここはゆっくり、ここでカフェに寄って読書、といった具合にたかがウォーキングでも一つのプロジェクトとして企画演出することが重要なんです。

「最近物忘れが多くてね」「歳をとったらみんなそうだよ」なんてぬるい会話をしていてはダメです。

たとえば、毎年、芥川賞と直木賞が発表されますね。今年（二〇二三年）は二作品ずつ、合計四作品選出されました。本屋大賞の候補作は十作品。書店はにぎやかですよ。せめて一作品ぐらいは読んでくださいよ。私は小川哲さんの六百ページの大作『地図と拳』（直木賞）と井戸川射子さんの『この世の喜びよ』（芥川賞）を読みました。

何も思いつかないという人には、「聴くドラマ聖書」というアプリをおすすめします。このアプリにはリスニングプランがあって、一日二十分コースだと四百九十四回、一年ちょっとで聖書を読破できます。無料のアプリだし、世界最大のベストセラー「聖書」を一年がかりで読んでみるのもいいかもしれませんよ。

それから、動物を飼うこともおすすめです。動物とのふれ合いは、ストレス解消やリラックス効果のほか、意欲が湧く、感情表現が豊かになる、運動量がアップする、病気の回復を促進させるといった心身によい影響を与えるそうですよ。

私は愛犬ブンと朝夕散歩をしていますが、天気がよい休日には、近所のカフェのテラス席で一緒に、コーヒーを飲みながら読書して過ごしています。私の健康はブンに支えてもらっているようなものです。ブン、ありがとね。

高齢期になると、生物学的身体のことばかり気にしている人が多いけれど、ほんとうは観念的身体について、もっともっと考えるべきだと思います。観念的身体は油断しているとどんどん錆びついていきますから。これに関連したお話を一つ。

『新約聖書』の中でイエスが最後の晩餐を終え、自分の死を悟り、弟子たちから少し離れたところで神に祈りを捧げる有名な場面があります。死を前にして切迫した緊張感漂う場面です。

イエスはひどく恐れてもだえ始め、彼らに言われた。「わたしは死ぬばかりに悲しい。ここを離れず、目を覚ましていなさい。」

（『聖書』新共同訳、日本聖書協会「マルコによる福音書」14章33－34節）

イエスは弟子たちに「目を覚ましていなさい」と言いました。死を前にして祈るのですから当然です。で、弟子たちはどうしたと思いますか。

それから、戻って御覧になると、弟子たちは眠っていたので、ペテロに言われた。「シモン、眠っているのか。わずか一時も目を覚ましていられなかったのか。誘惑に陥らぬよう、目を覚まして祈っていなさい。……」

（前掲書、「マルコによる福音書」14章37－38節）

なんと弟子たちは居眠りしてたんですね。そこで、イエスは再度「目を覚まして祈っていな

さい」というお叱りの言葉を残して、二度目の祈りに行かれました。今度は大丈夫でしょうね。

再び戻って御覧になると、弟子たちは眠っていた。ひどく眠かったのである。彼らは、イエスにどう言えばよいのか、分からなかった。（前掲書、「マルコによる福音書」14章40節）

「ひどく眠かったのである」なんて言い訳、通用しますかねえ。いくら眠かったとしても、イエスが死を前にして祈りを捧げているんですよ。我が子だったらどうします？

弟子たちはイエスに返す言葉もありませんでした。当然ですね。それからイエスは再び祈りへ出かけます。

イエスは三度目に戻って来て言われた。「あなたがたはまだ眠っている。休んでいる。……」

（前掲書、「マルコによる福音書」14章41節）

あらまあ。この三度も居眠りするシーン。弟子たちにとってイエスの死は他人事だったんですね。ひとりイエスだけが先駆的決意性をもって実存者として祈りを捧げていたわけです。

高齢期だからと、いろいろ言い訳して居眠りばかりしていないで、むしろ高齢期こそ、脳に負荷を与え、観念的身体を鍛えて花を咲かせる絶好の機会だと捉えたいですね。

山路きて何やらゆかしすみれ草

これは、有名な芭蕉の句です。めったに人の通らない山道を歩いていると、スミレの花が咲いています。美しいなあ、と感じます。誰に見られるわけでもないのに、また誰に褒められるわけでもないのに、己に与えられた生命＝能力を精一杯働かせて花を咲かせています。そんな姿が芭蕉の心を打ったのでしょう。

自分に与えられた生命力（能力）を野に咲くスミレのように精一杯咲かせること、これこそ、残された人生の最後の課題ではないでしょうか。

九十五歳になる西本喜美子さんは、七十二歳のときに写真教室に通い始めました。はじめは仲間づくりを目的に通っていたのですが、次第に写真を撮ることが面白くなり、ユーモアあふれる自撮り写真をSNSで公開すると俄然人気を呼び、いまではフォロワー数が三十万を超えているそうです。スーパー花咲かばあさんですね。

ハイデガーの「被投的企投」「先駆的決意性」という言葉は、高齢期に投げ込まれた人が、自分の目標を見つけ、それに向けて「企投」し、「世人（老人）」にならずに生きていこうとする「決意」だと解釈したいですね。同時にそれが、精神余命を延ばすことにもなるのです。

世阿弥は『風姿花伝』の中で、人間の成長を花にたとえて、こんなことを言っています。

若いときは、若い生命がもつ鮮やかで魅力的な花を咲かせる。しかし、それは若い時代を通過してしまえば散ってしまう「時分の花」（一時の花）にすぎない。それに対して、花が散って枯木となっても、密やかに咲き続ける一輪の花がある。その老骨に残りし花こそ「まことの花」である。人生とは、この「まことの花」を残すためにこそ存在しているのだ、と。

でもねえ。この言葉は芸を極めた名人に言えることでしょ。何もしてなければ老骨に花なんか残りませんよ。「まことの花」なんて存在しません。十代には十代の、四十代には四十代の、六十代には六十代の、そして八十代には八十代の「時分の花」があるだけです。

だから、どんな年代になっても、そのときどきの「時分の花」を咲かせるよう努力することが大切なのです。「まことの花」なんて言葉に惑わされてはいけません。

ところで、「時分の花」を咲かすには脳科学的なコツがあるそうです。

「もう歳だから」というネガティブな発言ばかりしていると「老人脳」になって花は咲かないそうです。老人脳にならないためにはネガティブな発言を極力避けることです。どうしてもネガティブな発言をしてしまったら、すかさず「でも」という接続詞を使い、ポジティブな言葉で発言を終えるようにするのです。「あー疲れた」と言ったらすかさず「でも、充実した」とか「でも、がんばった」と続けるのです。脳には最後に発した言葉のイメージが定着するからです。これを「でもの法則」と言うそうです。

たとえ歳をとっても、あくまで要求水準は高く保ち、適当なところで自己満足せず、いろいろ挑戦してみる。まあ、「生きる」ということはそういうことでしょうけどね。

葛飾北斎（一七六〇-一八四九年）の有名な「富嶽三十六景」が発表されたとき、彼はすでに七十歳を過ぎていました。そして八十九歳の生涯を閉じる直前に放った言葉。

天がわしをもう五年間だけ生かしておいてくれたら、わしは真の画家になれただろうに。

北斎、格好いいなあ〜。

「実存院先駆決意居士（じつぞんいんせんくけついこじ）」という戒名をあげたい！

■白鳥くんのハイデガー理解は間違い？

ハイデガーは『存在と時間』の中で、人間は存在者の中でも特別な存在者であり、普段は「世人」という非本来性に堕落しているが、死を直視することによって「先駆的決意」をなし、「実存者」という本来性へ超越する存在であると言いました。そこに人間の「ほんとう」があるのだと考えたのです。

このようにまとめましたところ、ちょっとハイデガーに詳しい人から、こんな反論が……。

白鳥くん、それはちょっと違うね。ハイデガーは「ほんとうの生き方」といったような価値観は表明してないよ。現存在には本来性と非本来性の二面性があるという分析をしたにすぎないんだよ。それに「堕落（だらく）」しているというのも言い過ぎ。現存在は普段世人というあり方をしているという事実を言っているのであって、堕落しているなんて言ってないから。よく読んでごらん。堕落じゃなくて「頽落（たいらく）」って訳されているでしょ。

確かにハイデガーは、「頽落」に消極的な評価はしていない（第三十八節）とか、「空談」をけなした意味で使っているわけではない（第三十五節）と弁明していますが、文章の端々から、これらの言葉に対するネガティブなニュアンスが感じとれます。

私は、ハイデガーは非本来性から本来性へ覚醒することに価値を見出したと解釈すべきだと思いますね。大体、価値中立的な哲学なんてありえないんだから。それから「頽落」という言葉、辞書にはポジティブな意味はまったくありませんよ。内山くん、どう思いますか？

ハイデガーの真意はわからないけど、白鳥くんの語り口には、歳をとったらとにかく何かしろっていう脅迫めいた感じがあるんだよ。それに、本来性と非本来性という分け方が、少し大雑把すぎるんじゃない？　世人というあり方も人によってかなり違うと思うし、ぼくは、その人の非本来性のあり方の中にこそ、その人らしい本来性の生き方が隠されている気がするね。

脅迫とは穏やかでないけれど、自分で自分を追い込んでいる感じはあるかもね。でも精神余命が短くなるよりはいいと思っている。

それから、非本来性のあり方の中にその人らしい本来性の根拠があるという考え方はそのとおりだと思う。「みんな一緒」の本来性なんて矛盾してるもの。それぞれ自分らしい本来性を発揮するためにも、自分の非本来性を分析し、そこから超越する必要があるということだね。

ではハイデガーの言葉に耳を傾けてみましょう。

現存在は、非本来性のなかへと巻きこまれるのだが、このようなことを解消することができるのは、現存在がおのれを世人のなかへの喪失からおのれ自身のところへとことさら連れもどすことによってだけである。〔……〕世人のなかからおのれを連れもどすということ、言いかえれば、世人自己が本来的な自己存在へと実存的に変様するということは、一つの選択を後から取りもどすこととして遂行されなければならない。

（前掲『世界の名著〈62〉ハイデガー 存在と時間』第五十四節）

やはり、私はここにハイデガーの実存主義的な主体性の哲学を読み取りたいなあ。非本来的な世人から抜け出て本来的な実存者として生きよ、と言ってませんか？

■サルトルvsハイデガー ―― 主体性vs良心の呼び声

サルトルは、ハイデガーの『存在と時間』を読んで、ハイデガーは自分と同じ実存主義者の系譜に属する思想家だと言いました。それに対してハイデガーは、サルトルの実存主義と『存在と時間』とはなんの関係もないと言い切っています。まあ怒っているわけです。自分の哲学はサルトルの提唱する実存主義のような薄っぺらなものではない、「存在問題」というもっと深遠な問題を扱っているのだと言うのです。

では、そのサルトルの実存主義とはどのような考えなのでしょうか。

ハサミには「モノを切る」という本質がある。ハンマーには「釘を打つ」という本質がある。しかし人間には、そのようにあらかじめ定められた本質などない。人間という存在は本質から自由なのだ。自由に自らの本質を決定できる存在なのだ。実存は本質に先立つ。だから、君は主体的に自由に決断して社会に関わって生きていくべきだ。

こういう実存主義の考えは、日本の学生運動華やかなりしころの若者たちの心をグッとつかんだそうですよ。

ここには、人間の主体性に一〇〇パーセント信頼をおいた楽観的な人間理解があります。しかし、ハイデガーは人間の主体性なんてあまり信じていませんでした。そもそも「主体性」なんて言葉、一度も使ってませんから。

人間はほとんど「世人」として生きざるをえない存在だし、性別も国籍も生まれる時代も自分で選ぶことはできないし、主体的である以前に気分に支配されるような存在だし、主体的に何か行ったように見えても、結局は他人に影響されて行動していたなんてことはざらにあることだし……。ということでハイデガーには「人間は非力な存在である」という悲観的な人間理解が根本にあるのです。

そういう意味では、前章に書いた私のハイデガー解釈は、内山くんが感じたように少しサルトル寄りに解釈しすぎていたかもしれないね。でもこれは花咲かじいさんの「解釈」としておきましょう。

もちろん、サルトルはサルトルで尊敬できる人だと思いますよ。

サルトルは一九六四年、ノーベル文学賞の受賞を拒否しました。その受賞拒否の理由をノーベル財団宛の手紙で次のように述べています。

「いかなる芸術家、作家、人間も、存命中に神聖化される価値のある人間はいない。なぜなら、人はいつでもすべてをかえてしまう自由と力を持っているからだ」と。

彼は「ノーベル賞作家」という栄誉に満足して、それ以上歩み続けることをやめてしまう人生よりも、ノーベル賞作家を拒否し、それをバネにして、いまある自分を乗り超えて前進し続ける「実存主義者」としての人生を選択したのではないでしょうか。

サルトルという「存在」はノーベル賞作家という「本質」に先行している。まさに「存在は本質に先立つ」という自らの哲学を実人生の中で実践したわけですね。

サルトル、信念の人だなあ〜。

■ハイデガー哲学の到達点

人間は非力な存在である。にもかかわらず、わずかにせよ主体性はある。そのわずかな主体的可能性、ここにハイデガーは人間の実存の可能性を見出したのだと思います。ですから、ハイデガーの主体性はサルトルの言うような自由な積極的な主体性とは違います。さまざまな条件に制約されながら、死の可能性を引き受けることを決意（先駆的決意性）したときに外部から要請されるような主体性です。ハイデガーはその外部からの要請のことを「良心の呼び声」と言いました。こころの奥深くにある「ほんとうの私（実存者）」が「にせものの私（世人）」に呼びかけるのです。世人から脱して実存者たれ、と。

> 良心の呼び声は、現存在の最も固有な自己存在しうることをめがけて、現存在に呼びかけるという性格をもっている［……］
>
> （前掲『世界の名著〈62〉ハイデガー　存在と時間』第五十四節）

しかもその良心の呼び声は、具体的な言葉をもたないと言うのです。「沈黙」という形で語ると言うのです。沈黙の語り？

> 呼び声は、どのような声に出して口外することをも無しですます。呼び声は、とうてい言葉にはなりえないものなのだが――それにもかかわらず不明瞭で無規定的なものでは全然ない。良心は、ひたすら不断に沈黙という様態において語る。
>
> （前掲書、第五十六節）

「沈黙の語り」なんて聞くと、私なんかサッポロビールのテレビコマーシャルを思い出しますね。

キャッチコピーは「男は黙ってサッポロビール」（一九七〇年）。イメージキャラクターは三船敏郎です。このテレビコマーシャル、かなり話題になりました。三船敏郎が黙ってビールを飲むだけなのですが、飲みっぷりが実にカッコイイ！

当時、サッポロビールの入社面接で、「なぜ当社に応募したのですか」と質問されて「男は黙ってサッポロビール」と答えたら内定が出たという嘘のような話もあるくらいです。

二〇二一年十二月期の大手ビール会社の売上高は一位がサントリー、二位がキリンビール、三位がアサヒビール、残念ながらサッポロビールは四位でした。

サッポロビールはいまこそ三船敏郎のテレビコマーシャルを再放送すべきです。きっと起死回生の一手となることでしょう。すみません。少し脱線しすぎました。

要するに先駆的決意を為すことによって沈黙の良心の呼び声が聞こえるという話です。うーむ。難しい。しかし、私はあえて次のように解釈したい。

自分の死の可能性を先駆ける（先駆的決意性）なんてことはなかなか難しい。しかし、共に生きている仲間が限界状況（余命宣告を受けた、災害で家を失った等）で苦しんでいるとき、彼の苦しみを自分のものとして受け止め、彼に寄り添うことはできるかもしれない。もしそのようなことができたとしたら、それは良心の呼び声にしたがって先駆的決意を為しえたと考えてもよいのではないでしょうか。

つまり、共存在しつつある他者たちを、彼らの最も固有な存在しうることにおいて「存在」せしめ、この彼らの存在しうることを、手本を示し解放する顧慮的な気遣いのうちで共に開示するという可能性が、それである。決意した現存在は他者の「良心」となることがある。

（前掲書、第六十節）

「良心の呼び声」に導かれた行動が、やがて他者の心の中で「良心」となり、さらなる良心の行動を導く。こうして良心のバトンリレーが世界中を駆け巡る。美しいイメージだなあ。

ところで、ハイデガーは後期になって前期の自力哲学（実存哲学＝主体性の哲学）を否定したと言われています。彼の思想は転向した、と。しかし、ハイデガーの考えは『存在と時間』の中ですでに変容していることを見逃してはならないと思います。それは、本来性に覚醒することを示唆した自力哲学から、先駆的決意性を介して「良心の呼び声」を聞き取ろうとする他力哲学への変容です。そしてハイデガー哲学の到達点は、まさにこの「良心の呼び声」にあるのではないでしょうか。

「良心の呼び声」を示唆する話は『新約聖書』の中にも出てきます。

ユダヤ教の律法学者から目をつけられていたイエスは、律法の本質は何かと問われて、「自分自身を愛するように隣人を愛しなさい」と答えました。しかし、律法学者はイエスなんて若僧、簡単には認めたくない。嫌味な質問をするんですよ。

「ではお聞きしますが、『隣人』というのはいったい誰のことですか？」

ユダヤ教において「隣人」とはきちんと定義されていまして、選ばれしイスラエル民のことなんです。異邦人や異教徒は隣人には含まれていません。するとイエスはおもむろにこう答えました。

そこまで言うのならお答えしましょう。最近こんな話があったのをご存知ですか。ある男が強盗に襲われて着ているものを剥ぎ取られ、半殺しの状態で倒れていました。そこへユダヤ教の司祭が通りかかりました。しかし、彼は見て見ぬふりをして通り過ぎて行ってしまいました。次に同じくユダヤ教徒のレビ人が通りかかりましたが、こちらも黙って通りすぎていきました。そこへ旅行中の異教徒であるサマリア人が通りかかり、気の毒に思い介抱してあげたのです。さらに翌日には宿屋の主人にお金を渡して、私がいなくなってもこのお金で治療してあげてください、もし足りなかったらこの次に来た時にお返ししますからと言って去って行ったのです。さて、あなたはこの三人の中で誰が強盗にあった人の隣人だったと思いますか。（前掲『聖書』「ルカによる福音書」10章25－37節を要約）

お見事！　この律法学者、ぐうの音も出なかった。ここでイエスはユダヤ教的な「隣人」の概念をひっくり返したのです。誰もが隣人になりうるのだ、と。ここはユダヤ教という民族宗教が世界宗教へと一歩踏み出した瞬間ではないでしょうか。

この話に出てくるサマリア人は、まさに「良心の呼び声」を聞いたのだと思います。なぜ良心の呼び声が聞こえたのでしょうか。それは「隣人を愛せ」という教えを、口先だけでなく、心から、先駆的決意性をもって理解していたからだと思います。だから強盗に襲われて死にかけている人に寄り添うことができたのです。

ここまでくるとハイデガーの「良心の呼び声」というのは「神の呼び声」と言いたくなりますね。多分それでいいと思いますよ。「良心の呼び声」なんて言うから難解だなんて言われちゃうんですよ。

先駆的決意性を介した「良心の呼び声」こそ、ハイデガー哲学の到達点なのです。

というわけで、私たちも良心の呼び声を聞き取ろうとして、「花咲かじいさんの読書会」をがんばってやっているわけです。

その後、ハイデガーは彼の主要課題であった「存在問題」へと突き進むはずだったのですが、『存在と時間』は未完で終わっています。第二部第三篇まで構想されていたのですが、第一部第二篇で終わっています。

では、ハイデガーの言う「存在問題」とはいかなる問題だったのでしょうか。それは「存在者」を問うのではなく、「存在」そのものを問うことです。

では、存在者と存在との違い、即ち「存在論的差異」をもう一度復習しておきましょう。

■もう一度、存在論的差異

『存在と時間』は、人間はどう生きるべきかといった実践論につながる面をもっていたので興味をそそられますが、こちらは存在論ですから、現実を遊離した空虚な思弁じゃないかと少し抵抗感のある方もいるかもしれません。でもがんばってついてきてくださいね。面白い地平にご招待しますから。

では、存在論的差異とは何か。

What is it?

こう問われたときの"it"に当たる部分が「存在者」です。

「it」にはさまざまな言葉が入ります。机、車、時計といった具体的なモノもそうですが、数学、経済学、物理学といった学問もそうです。自由、愛、幸福といった抽象的な概念もそうです。それに対して「is」に当たる部分が「存在」です。存在は存在者ではありません。ですから、存在を存在者として問うことはできません。試しに「is」を存在者のレベルで問うてみましょうか。

What is "is"?

これでは「is」を問おうとしているのに、その質問文の中にすでに「is」という言葉が入ってしまっています。ということは、何かを問うということはあらかじめ「is」という意味を理解していなければならないのです。このように存在を存在者と同じレベルで問うことができないので、ハイデガーは「存在者」と「存在」の間には「存在論的差異」があると言ったのです。そして後期のハイデガーは、この問いを突き進めていくのですが、その表現は難解となり、論理的というより神秘的な語り口になっていきます。

「What is it?」という問いを禁止しながら「is＝存在」について答えようとしているのですから、それはとてつもなく困難な作業だろうなということはわかります。実際、ハイデガーは存在問題を問うための「文法」がないと言っているくらいです。でもそれじゃ埒があかないので、花咲かじいさんは強引に「What is "is"?」という問いに答えてみるところから始めてみたいと思います。そうするとこの問いは次のように答えられます。

"Is" is "Is".

しかし、「Is」を説明するために「is」という言葉を使ってしまっています。これでは論点先取になってしまいます。これを訳すと「あるはあるである」。なんのこっちゃ！

しかし、花咲かじいさんはここであきらめず、もう少し食い下がってみます。

「"Is" is "Is".」を記号で表せばどうなるか。

A＝A

記号学的に表現すればこうなりますね。数学的に表現すれば「1＝1」です。これは論理学では「自同律」と呼ばれています。では、この「A＝A」という記号を命題で表現してみましょう。

AはAである

実はこの命題の中の「である」というところが重要なんです。というのも、「である」という言葉は、A＝Aという記号を判断している主体が存在していることを示唆しているからです。では、その主体とは一体誰でしょうか。もちろん「私」ですよね。ですから「AはAである」という命題は「A＝Aと私は認識している」という意味になります。そうすると「AはAである」という命題が成立するためには次の命題が前提として成立していなければなりません。

私は私である

ここは大丈夫ですよね。認識するものが同一性を欠いていたら、認識されるものの同一性も確保できませんから。もしここで躓いていたら日常生活を営むことなんてできませんよ。

この点については、映画『男はつらいよ』（第一作）の中で寅さんが名言を吐いています。

お前とおれとは別な人間なんだぞ。早え話がだ、おれがイモ食って、お前の尻からプッと屁がでるか。

そうです。「私は私である」という実感がなければ、「AはAである」という命題も成立しないのです。

動物は本能というプログラムに沿って生きていますから、現実と隙間なく密着して生きています。動物にとっての対象物は常に有害か無害か、有益か無益かという二者択一なのです。毒キノコを見て「有害だけど、きれいな色してるなあ」なんて余計なことは感じないわけです。我が家の愛犬ブンもモーツァルトを聴いてうっとりするなんてことはありません。動物は世界とぴたりと一致して生きています。A＝Aです。

ところが、人間はどうでしょう。民族によって食べるものも随分違います。日本人は刺身や納豆を平気で食べますが、これは世界のスタンダードではありませんよね。また、人によって音楽の好みも違います。ハードロックを聴いて熱狂する人もいれば、顔をしかめる人もいます。

このように、動物は現実に密着して生きていますが、人間は現実との間に亀裂が入っているのです。これを「存在論的亀裂」と呼ぶことにしましょう。

では、なぜそんな亀裂が入るのでしょうか。それは、人間は動物と違って「生物学的身体」とは別に「観念的身体」をもっているからです。私たちは音楽を聴いたり、映画を観たり、本を読んだり、友人と語り合ったりしながら観念的身体を育んでいきます。それは一方で生物学的身体との亀裂を深めていくことにもなるのです。

つまり、人間はあらかじめ生物学的身体に亀裂を抱え込んでいるがゆえに観念的身体をもたざるをえない。そして、そのことが現実の認識に存在論的亀裂を生じさせるのです。

「存在論的亀裂」を記号で表せばこうなります。

A≠A

そして、この亀裂が大きくなりすぎるとこうなります。

A≠A

「私は私である」という実感が完全に成立しなくなってしまう状態です。果たしてそんなことが実際に起こるのでしょうか。

実は、ある種の精神病患者は「ここにいる私は、ほんとうの私ではありません（A≠A）」とか、「これは私が書いているのではありません。宇宙からのテレパシーが私に書かせているのです」とか、「私は、ほんとうは三人いるのです」といった言葉を発することがあるそうです。ここにはA＝Aという自同律の不成立という事態が発生しています。

少し長くなりますが、実際の統合失調症の患者さんと精神科医とのやり取りをみて、「A≠A」の世界をのぞいてみましょう。（　）の中の言葉は精神科医の言葉です。

「ほかの人がぼくの薬をのんでしまうからしょっちゅう眠いです。こう眠くなるというのは、だれかがぼくの薬をのんでいるということなんです。連鎖反応かしりませんけどね」（連鎖反応？）「自然にたとえれば影響ということでしょうね」（だれからだれへの？）「……そんなむつかしいこと解答できません」（だれかがその人の薬をのんだらあなたが眠くなるの？）「はい、そうです」

「土曜日におふくろが来て、どうか、といったら、時期的に早いからもうすこし様子を見

てはどうか、といわれました」（どうか、とはなにがどうかなの？）「自分が夏ミカンを好きになるということです」（どういう意味？）「心変わりがせつなくて悲しくなるということです。夏ミカンはすっぱいですからね」（心変わりというと？）「タイワンハゲになったりシラガになったり、ヒゲがあるかないかです」（どういう関係があるの？）「自分が式もあげてないのに自分の子供がいるような気がします」（どこに？）「要するに身体に異常が起こるということは、私の子供が異性の母胎の中にいるということではないでしょうか」（異常って？）「暑くなったり寒くなったり、胸がふくらんだり縮んだりするということです」（それと異性の母胎とどういう関係？）「それは魔よけというものです」（連鎖反応なの？）「それは私は音楽ってものが好きだからそういうふうに考えたのです」（音楽は連鎖反応？）「芸術家は精神病者だって感じました」（どうして？）「母親の言を借りると、お前って子はほんとは生まれてくるんではなかった、自分はあくせく働いているのに、お前はおふくろというものを認めたことがあるか、といいました」（病気になってからお母さんがそう言ったの？）「いいえ、赤ん坊時代からです。母親は私が母胎にいたときに殺人というものを見たのではないでしょうか。そのために子供を大切にしようと思って、あくせくして……、母親は子供がへその緒でつながっているから栄養分をとるために……」（殺人とどういう関係？）「自分の子を産もうとして努力するために、自分の身体を犠牲にしているのではないでしょうか」（殺人ってどういうこと？）「人間が言葉をおぼえるのは、父や母や兄弟から習って、高度な知識があるからこそ、その人に沿ったコースがあるのでしょう」

「人を殺すといいこともあるでしょうか。やはりうらまれるだけでしょうか。自分で自分を自害したい気持ちです」（自分とは？）「保護室（興奮患者を一時的に保護する個室）にいても自分と思っている人もあるでしょうけれども、やはり他人が現れたとき自分というものを自覚するんじゃないでしょうか」（自分はこの世の中に一つだけ？）「そういうときは自分は存在しないんじゃないでしょうか」（沢山の自分があっていい？）「いいと思いますけど。自分で生きようと思っているときに……むずかしいです」

（木村敏著『異常の構造』講談社現代新書）

この患者さんは「私は私である」というアイデンティティーに大きな亀裂が入っています。存在論的亀裂が大きすぎると、ちょっと恐ろしい世界が見えてしまうようです。

ところで、萩尾望都さんの漫画に『A-A´』（小学館文庫）というタイトルの作品があります。私はこの漫画で危機を乗り切ることができました。

実は、十三年間飼っていた愛犬ブンが、七夕の翌日に亡くなりました。一週間ほど前には佐倉城址公園までなんとか散歩することができていたのですが、ここ二、三日はほとんど横になっているばかりで、息づかいも荒く、食事もほとんど摂ることができませんでした。時折嘔吐しようとするのですが、食事を摂っていないせいか、つらそうに空咳をしていました。

夕方、クリームチーズを鼻先にもっていくと、いままでほとんど食べなかったブンがぺろりと平らげてくれました。私は嬉しくなってその後も与えると、三口ほど全部おいしそうに平らげました。久しぶりに固形物を口に入れて少し元気になったような気がしました。ところが、三十分ほどして犬小屋をのぞきに行ったときには、もう小屋の外で横になって死んでいました。クリームチーズをぺろりと平らげたのは私を喜ばそうとした精一杯のサービスだったのかもしれません。

亡骸にタオルケットを掛け、庭に咲いていたアジサイの花を添えて家族みんなでしばらくブンと過ごしました。家族それぞれがブンとの思い出に浸っていました。

近所の動物霊園に連れていくと簡単な葬儀を執り行ってくれました。「浄土真宗でよいですか」と聞かれたので、それでお願いしました。犬に葬儀かよと言われるかもしれませんが、葬儀というものは、どこか悲しみを鎮めてくれるところがあります。

もう一生ブンに会えないのかと思うと悲しい気持ちでいっぱいです。でも、ほんとうにもうブンと会うことができないのでしょうか。私が会うことができるのは、記憶の中のブンでしかないのでしょうか。

そのとき、私はブンと出会うことのできるある方法を考えついたのです。

それは、もう一度ブンと同じ柴犬を飼い、「ブン」と名づけて育てていけば「ブン」と出会うことができるという考えです。

まともな人なら、それは別の犬だし、いくら見てくれが似ていたとしても魂は別物だと言うことでしょう。しかし、ブンの魂とは、我が家の飼い主たちとの間で育まれたものです。「ブン」という名は、私たち家族との交流の中で創造された「魂」のことなのです。だとしたら、もう一度柴犬を飼い、「ブン」と名づけ、我が家の飼い主たちとの交流をはかれば、ブンの魂を創造することができるのではないでしょうか。そのとき、ぼくらは「ブン」と再び出会うことができるのではないでしょうか。少なくともそう考える権利はあると思ったのです。これは事実か否かという問題ではなくて、その考え方にリアリティーを感じることができるかどうかだという問題だと思いました。

私は十分にこの考え方にリアリティーを感じたのです。きっと、もう一度ブンと出会うことができる。もちろん家族のみんながこの考えを認めてくれたらの話ですが……。

実はこの考え方にヒントを与えてくれたのが萩尾望都さんの『A-A´』という作品だったのです。

主人公の少女アディ（A）は十六歳のときに自分の複製であるクローン（A´）を冷凍保存します。もし自分が死んだら、もう一度この複製で十六歳から人生をやり直すためです。このアディの複製には生まれてから十六歳までの記憶が保存されています。

さて、アディは十九歳のときに、レグ（L）という若者ときらめくような恋をします。ところがアディは十九歳で急死してしまいます。

そこでアディの死後、彼女の遺言にしたがって十六歳のまま冷凍保存されていた複製のアディ（A′）が復活します。もちろん、複製のアディ（A′）にはレグ（L）との恋愛の記憶はありません。

レグは複製のアディ（A′）と会うことができるのですが、自分の愛したアディ（A）は死んでしまっており、複製のアディ（A′）は本物ではないと言って会うことを拒否するのです。そうこうしているうちに、レグ（L）も亡くなってしまいます。そしてレグもレグの複製（L′）を冷凍保存しておいたので復活します。そして、複製同士のアディ（A′）とレグ（L′）は、お互い初対面なのですが、二人はめでたく恋に落ちましたというお話です。

この漫画を読んで私はどうしても納得がいかない場面がありました。それは、アディが亡くなり、複製のアディ（A′）が復活したとき、レグは複製のアディ（A′）はほんとうのアディではないと言って会うことを頑なに拒否し続ける場面です。私はそれが理解できませんでした。

十六歳のアディが復活したとき、私だったらもう一度複製のアディとやり直そうと思ったはずです。アディは、十六歳から十九歳までの記憶を喪失しただけだと考えればよいではありませんか。そして、もし複製のアディが他の男性に恋をしてしまったら、そのとき初めてアディへの恋を断念すればよいのではないでしょうか。とレグに文句を言ってもしようがないのですが……。

ということで私は亡くなった愛犬ブンとの間で「B－B´」という物語を作ることを決意しました。幸い、家族のみんなも了承してくれました。そしてこの本に再三登場する愛犬ブンは、実はその「B´」なのでした。いまでは完全に「B＝B´」になっていますよ。

愛犬ブンの死という危機を「B－B´」の公式で乗り切ったというお話でした。

■神――危機の乗り超え方

さて、若いときは誰でも「私は私である」というアイデンティティーの危機に襲われる時期があるのではないでしょうか。つまり、「A＝A」が「A≠A」となる時期です。そんなとき、私たちはその危機をどうやって乗り超えてきたのでしょう。

実はこのとき「神」が登場するのです。

神？

そうです。ちょっと振り返ってみてください。「A≠A」という自同律の不全を補完するものとしての「神」です。

思春期には誰でも「神」と出会っているはずです。

私が十九歳のときに出会った「神」は劇作家の「寺山修司」でした。

先日、寺山修司の『盲人書簡』という演劇を「盲人」の内山くんと観に行きました（二〇二二年六月二日　下北沢ザ・スズナリ）。

「盲人のぼくが『盲人書簡』を観に行くところが面白いね」と内山くん。

演劇はふつう観るものだと思われていますが、この演劇は真っ暗闇の中で上演されるのです。ポーランドでの海外公演時には、観客は劇場へ入るときに三本のマッチを渡されたそうです。そして自分が観たいと思ったときに真っ暗闇の中でマッチを擦って観るのです。観るチャンスはたった三回です。観客は明かりを作り出すことによって演劇との関係性を自ら作り出さなければなりません。演劇にとって「観る」とはどういうことなのか、そんな問題を提起してくれる演劇です。

今回は消防法の問題もあり、さすがにマッチを配るような演出はありませんでしたが、役者が暗闇の中で、あちこちでマッチを擦りながら演じていて、各シーンを写真で撮ったら一冊の写真集ができるのではないかと思えるほど美術的演出に凝った幻想的な作品となっていました。

「神」はいろいろな人に、いろいろな場所で、いろいろな形で現れます。

「ビートルズ」「ジェームズ・ディーン」「マルクス」「太宰治」「筒井康隆」「原節子」……。

最近の若い人なら「乃木坂46」や「ＢＴＳ」かな？

内山くんは若いころ、現代音楽の作曲家「クセナキス*」が神だったようです。

音楽大学受験のために、予備校でソルフェージュや聴音の練習ばかりやらされていた時期があってね。もう頭の中は、五線譜や長調・短調といった西洋音楽の合理的に構築された音楽観で埋め尽くされてる感じ。そんな息の詰まる練習が終わって、家に帰ってクセナキスの「ペルセポリス」という曲が入っているLPレコードに針を落とす。するといきなりキュイーンという、バイオリンの弓で空き缶を引いたときに出るようなすさまじい音がして、それがすごくいいんだよ。秩序だった世界が崩壊していく感じ、西洋の音楽理論でがんじがらめに縛られていた感覚が一挙に解放される快感だね。このクセナキスの音楽によってその当時のぼくは癒やされていたと思う。彼の音楽はほんとうに救いだったね。

＊ヤニス・クセナキス（一九二二-二〇〇一年）は、ルーマニア生まれのギリシャ系フランス人の現代音楽作曲家。建築家。

クセナキスの「ペルセポリス」はYouTubeで聴くことができますよ。一時間を超える大作ですが興味ある方はどうぞ。そして、内山くんからもう一つのエピソードです。

若いころ、中近東の音楽が好きでよくアラブ音楽を聴いていたんだ。音階のピッチに微妙なずれがあって、十二平均律にないニュアンスが好きだった。これをピアノか何かで十二平均律に翻訳して演奏してしまうと平板でまったくつまらない音楽になってしまうんだ。

アラブ音楽は、ウード（ギター系）、カーヌーン（打楽器系）、ナイ（笛系）、ラバーバ（バイオリン系）といった楽器編成が一般的で、ハーモニーがなくメロディーをラバーバでユニゾン演奏することが多い。

大学生のとき、ぼくは中近東を友人と旅行したことがあって、旅行中はどこもかしこもアラブ音楽。はじめは好きなアラブ音楽を堪能していたんだけど、次第にあのアラブ音楽特有のユニゾンが、ごり押しでぼくに襲いかかってくるんだよ。これでもか、これでもかという感じでユニゾンがぼくを攻め立てる。ぼくは次第にイラついてきた。

またアラブ音楽かよ。いくら好きなアブラモノでも毎日食べていたら飽きてしまうぜ（駄洒落です）、そんな感じだった。

ユニゾンに辟易していたぼくの旅は、トルコの西岸、エーゲ海へと進んだ。エーゲ海を目の当たりにしたとき、ぼくはその美しさに思わず感動してしまった。地中海の海は白っぽい色をしてたけれど、エーゲ海はほんとうに青々としていて、思わず「魅惑のエーゲ海」という旅行会社のキャッチコピーが頭に浮かんできたくらいだ。と同時に、なぜかポール・モーリアの「エーゲ海の真珠」という曲のメロディーが頭の中に流れてきたんだよ。アラブ音楽に辟易としていたぼくは、エーゲ海の海の青さとともにポール・モーリアの音楽に感動していた。

当時（八〇年代）、ぼくは調性音楽の作曲家を馬鹿にしていたこともあって、この体験は口が裂けても同じ作曲仲間には言えないなと思った。だから、ぼくはポール・モーリアのメロディーを口ずさみながらも、心のどこかで「これではいけない、これではいけない」と思っていた。

内山くん、ポール・モーリアが神になっていた時期があったんですね～。

若いときには存在の不安がつきものですから、若者の多くは「神」を求め、そして実際「神」と出会い、存在の不安を解消しようとするのです。

人はアイデンティティーの危機に直面して、さまざまな「神」を見出してその崩壊を食い止めようとします。そしていったんアイデンティティーが確立されてしまうと「神」から少しずつ距離をとり、やがて社会生活の中で「世人」へと頽落していくのです。

■存在の声が聞こえますか？

では、次のように問うてみましょう。

What is "GOD"?

しかし、この問いでは相変わらず「存在（＝is)」を捉えることができていません。「GOD」も数ある「存在者」の中の一つになってしまうからです。ハイデガーは人間を「存在者」と区別して「現存在」と名づけましたが、神を人間と区別して「超存在」とでも名づけましょうか。

しかしこの方法ではいつまでたっても「存在（＝is)」そのものには到達できません。

もちろん、神や仏を究極の存在者として信じ、思考停止してしまえば悩みはありません。「聖書」や「仏典」という解答書が与えられているわけですから、あとはそれに沿って生きるだけ。でもやはり、「究極の存在者」ではなく「存在そのもの」に迫りたいですね。

ハイデガーは「存在とは何か」という問いは、存在者を問うようなやり方で問うことはできないと言いました。では、私たちはどうすれば「存在」そのものを知ることができるのでしょうか。

いま、目の前に時計があるとしましょう。時計そのものは機械であり単なる存在者です。しかし、その時計という「存在者」の亀裂から時間という「存在」が立ち現れ、我々に「時」を告げ知らせるのです（確かに存在論的亀裂のないブンにはそんな体験はできんな……）。

ふと時計を見る。楽しいことをしているときは、「もうこんなに時間がたってしまったのか」と驚きますし、単調な仕事をさせられているときは、「まだこれしか時間がたっていないのか」とがっかりします。このような形で私たちは「存在」の一端に触れるのです。

ある絵画を見て感動するとき、私たちは絵画の物理的素材に感動しているわけではありません。単なる存在者としての絵画に亀裂が入り、その存在論的亀裂から「存在の声」が立ち現れ、その声を聞いて感動するのです。

「存在の声」は決して言語で語り尽くせるものではありません。私たちは、ただ「存在」という大きな働きの一端に触れることができるだけです。

私たちは、存在者の亀裂から存在の声を聞き取ります。それは、そもそも私たち人間の中に存在論的亀裂（A⫲A）が内包されているからこそ体験できることなのです。

存在論的亀裂を内包していない愛犬ブンは、音楽を聴いても感動に打ち震えるなんてことはありません。しかし人間に飼われていると犬も存在論的亀裂が少し入ってくるような気がします。というのも、子犬のころのブンは、犬小屋をのぞくと尻尾を振って喜び勇んで飛び出てきましたが、いまでは遊んでもらえないとわかっているのか、寝そべったまま。声をかけても上目づかいでこちらをチラッと見て、あとはしらばっくれて寝たふりをしています。「遊んでくれないのはわかってるわ。ワタシ寝てるの。邪魔しないでね」という感じです（ブンは雌です）。「～のふりをする」という行動は人間だけが行う特異な行動ですよね。痛いふりをする犬なんて見たことありませんから（もしいたら面白いけどな）。でも、愛犬ブンは寝たふりをするんです。

「存在の声」は感動ばかりを我々に与えてくれるわけではありません。先ほどの精神病患者のすさまじい世界もそうですが、サルトルは『嘔吐』という小説の中で、主人公が海岸で拾った小石、カフェのウエイターが着けているサスペンダー、自分の手、公園のマロニエの木の根っこを見て吐き気を催すシーンを描いています。

これはどういうことなのでしょう。私たちはモノを見るとき、モノそのものを見ているのではなく、モノにベールのように覆いかぶさった記号を見ているのです。この主人公は、モノの上に覆いかぶさったベールが何らかの理由で剥ぎ取られ、モノを直接見てしまったため嘔吐を催してしまったのではないでしょうか。

冷蔵庫の中から椎茸を取り出して、その裏のヒダの部分をじっと見つめ続けてください。やがて椎茸のヒダは世界の意味のネットワークから離脱して、まるで虫のように見えて気分が悪くなってきますよ。内山くんはこんな例をあげます。

「岡」という漢字は怒った男の人の顔に見える。眉間に皺を寄せ、唇を噛みしめているのではうれい線が浮き立っている。決して笑顔のほうれい線ではない。まるで歌舞伎の隈取りを彷彿とさせる険しい怒りの形相をしている。

「凧」という漢字は忍者の顔に見える。子どものころ（一九六〇年代）、テレビではよく忍者のアニメやドラマをやっていたが、よくある忍者のスタイルとして頭から覆面をかぶり目だけを出しているというのがあった。この「凧」という漢字はそうした忍者の顔を彷彿とさせる。

「困」という漢字は、困っている人の顔に見える。「うーん、こまったなあ」と言って顔をくしゃくしゃにしている。ロダンの彫刻「考える人」やムンクの絵画「不安」は、考えるという形のない行為や、不安という形のない心理状態を見事に表現した名作だと思うけれど、ぼくも「困」という漢字を顔に見立ててちょっと首を傾げさせ、あたかも困ったかのように腕組みをして佇む人の絵を描いて同人誌に発表したことがあったよ。

なるほど。これも軽い存在論的亀裂から垣間見られた世界でしょう。日ごろ慣れ親しんでいる世界に少し亀裂が入っていますね。

ところで、私は内山くんの勧めでワインを飲み始めたのですが、彼によるとワインは赤ワインに限るそうです。


赤ワインにはブドウの実だけじゃなくて、ブドウの皮や種やヘタの部分まで溶け込んでいるので豊かな味わいがあるんだよ。それに比べ、白ワインはブドウの実だけで作られていて、皮などは捨ててしまうから、赤ワインに比べれば深みはなくて、ジュースのような平板な味わいなんだよね。やっぱワインを飲むなら赤に限るよ。


ただしこれはつまみをろくに食べないで酒ばかり飲んでいた若いころの話で、つまみをよく食べるようになったいまでは白ワインの良さには十分開眼しているそうです。しかし、当時の私は、そう言われて赤白飲み比べてみると、確かに赤ワインのほうが豊饒な味わいがするような気がしました。

カベルネソーヴィニヨンの赤ワインを一口飲む。確かに白ワインより豊饒な味わいがします。渋みの中にほのかな甘さや辛みといった複雑な味わいがします。

ワインの味を言語化するのはなかなか難しいと思っていましたが、ワインを飲みに行くと、お店のワインリストには、それぞれのワインの味や香りの説明が書いてありますね。

そこでちょっと調べてみました。ワインの香りがどんな言葉で表現されるのか少しご紹介しましょう。

果物では、レモン、ダークチェリー、イチゴ。

花では、バラ、ジャスミン、牡丹。いいですねえ〜。

植物では、ローズマリー、ピーマン、枯葉。ん？　枯葉の香り？

動物では、龍涎香（りゅうぜんこう）（マッコウクジラの腸内に発生する結石）、蜜蝋（みつろう）（働きバチの腹部にある分泌腺から分泌するロウ）、ジビエ（狩猟で捕獲した野生鳥獣の肉や料理のこと）。このあたりになると、よくわからんな。でも、さらにわからない香りがでてきました。

濡れた段ボール、馬小屋、濡れた犬、なめし皮、汗、猫のおしっこ。

まいった！　こんな香りがしたらちょっと飲めないでしょう。

「この白ワイン、ロワール地方の猫のおしっこの香りがかすかにして美味ですな」などという表現は通常の言語使用規則から完全に逸脱しているとしか言いようがないですね。しかしそのようにでも表現しなければならない「何か」が存在していることは確かなのでしょう。それこそ「存在の声」だと言えるかもしれません。

ハイデガーはゴッホの「百姓靴」という絵画から次のような「存在の声」を聞き取りました。

――この靴という道具のくり抜かれた内部の暗い穴から目をこらしてみつめているのは、労働の歩みのつらさであります。この靴のがっしりした重みのなかに、風がすさぶ畑のひろくのびて単調なあぜをのろのろと歩いたあゆみの根気がこめられています。革には土のしめりと飽和があります。踵の下には暮れかかる夕べの野みちの寂寞が足摺りをしています。靴のなかには、大地のひびきのとまった呼びごえが、熟れる麦の贈与をつたえる大地の静寂が、冬の野づらの荒れた休耕地のみなぎる大地のわけしらぬ拒絶が揺れております。この靴をくぐりとおるのは、パンの確保のための嘆声をあげない心労、ふたたび苦難を克服することができたということばにでないよろこび、生誕の到来による武者ぶるい、死の威嚇による戦慄が揺れております。この靴という道具は大地に帰属しています。百姓女の世界のなかでこの道具は保存されています。この保存されて帰属することから、この道具がうまれて自足することになります。

(ハイデッガー著『ハイデッガー選集XII 芸術作品のはじまり』菊池栄一訳、理想社)

いかがですか? 残念ながら私には存在の声はあまりうまく伝わってきませんでした。内山くんはどう感じました?

ハイデガーのこの文章は、ゴッホが感じたであろうことを文章にしたにすぎないと思う。それは「存在の声」ではなくて「ゴッホの声」でしょ。「椎茸のヒダが気持ち悪い」っていうレベルにすら達してないな。

なるほど。サルトルの『嘔吐』は象徴秩序の裂け目から鳴り響く「存在の声」の感受になっているけれど、ハイデガーの意味深な言葉は象徴秩序内部の「物語」にすぎないということだね。いずれにしても、人間だけが「感動」といった体験を通して「存在の声」を聞くことができる。

では、その人間だけに聞こえてくる「存在の声」の主とは一体誰なのでしょうか。ハイデガーは「神」という言葉を一切使いませんでしたが、それはもう「神」と呼ぶしかないのではないでしょうか。

ハイデガーは、人間は頽落して「世人」となってしまったので、死を直視して世人から超越して実存者として生きよ、そうすれば「良心の呼び声」が聞こえると言います。

一方キリスト教は、アダムとイブが禁断の木の実を食べて人間は堕落した「罪人」となってしまったので、「十字架の上のイエス」を信じ、自らの罪を悔い改めて信仰者として生きよ、そうすれば「神の国」へ行けると言います。

おや？　この二つ、同じ論理構造ではありませんか。

頽落した世人が死を自覚すれば、良心の呼び声が聞こえる。

堕落した罪人が悔い改めれば、神の国へ行ける。

では、ハイデガー哲学とキリスト教神学は同型なのでしょうか。そうではありません。ハイデガーは、神を「存在者」としては捉えず、「存在」と捉え直したのです。存在者の背後に鳴り響く「存在の声」として、存在の大いなる「働き」として捉え直したのです。

この違いわかりますか？

「神は存在する」と言うのがキリスト教の「存在的神学」。それに対して、「神は存在である」と言うのがハイデガーの「存在論的神学」です。

「神は存在しますか？」という問いに対して存在的神学では「はい、存在します」と答えるでしょう。これに対して存在論的神学では「いいえ、神は存在です」と答えるはずです。

ハイデガーにとって、神は「存在者」ではなく、「存在」そのものなのです。「存在」とは神のことだったのです。

『旧約聖書』には、モーセが神に名前を尋ねる場面があります。神はなんと答えたでしょう。

――「わたしはある。わたしはあるという者だ」（前掲『聖書』「出エジプト記」3章14節）――

ここはすごい箇所ですね。神は自身のことを「存在」だと言っているのですから。ハイデガーがこの箇所を見逃すわけがありません。ハイデガーは「神」という言葉を一度も使いませんでしたが、「存在＝神」と考えていたことは確かだと思います。哲学の専門家の方は、ハイデガーを神や神学と結びつけることを嫌がりますけど、やはり、ハイデガー哲学は「存在論的神学」なのです。

祈りに対しても存在的神学と存在論的神学とは異なった態度を示します。

存在的神学では神を存在者と考えてしまうので「困ったときの神頼み」みたいになんでもかんでも神様にお祈りします。病気が治りますように、試験に受かりますように……。これは「存在的祈り」です。

ところが、イエスの祈り方はちょっと違っていました。

最後の晩餐が終わった後、イエスは自分の死が近づいていることを知り、悲しみにもだえ始め、「私は死ぬばかりに悲しい」と言って神にこの危機的状況が去るように祈ります。

「父よ、できることなら、この杯をわたしから過ぎ去らせてください。……」

（前掲書、「マタイによる福音書」26章39節）

ここで言う「杯」とは「十字架の刑」のことです。つまりイエスは「十字架にかけられないようにしてください」と神に懸命に祈っているのです。しかしその後で、すぐこう続けます。

「……しかし、わたしの願いどおりではなく、御心のままに。」

（前掲書）

イエスは自らの希望を述べた後に、すぐその希望を手放し神に委ねました。祈った後は祈りの内容を手放して神に委ねる。そして神の声に耳を傾ける。これが「存在論的祈り」です。そのとき神から聞こえてくる沈黙の声のことをハイデガーは「良心の呼び声」と呼んだのだと思います。

ハイデガー哲学は存在論的神学である、これを花咲かじいさんの結論としておきましょう。ところで、神は向こうからやってくるという点では、恋愛体験と似ていますね。恋愛感情は私の意志をねじ伏せるようにして突然訪れます。意識的に恋愛感情をもとうなんてことできませんものね。向こうからやってきます。恋愛感情はまさに存在の声であり、神の声なのです。

この自己の意識をねじ伏せるようにやってくる体験について内山くんは次のように語ります。

高校生のときにジャズを聴くようになってね。セロニアス・モンクは知ってたけど、モンク自身の演奏は聴いたことがなかったんだよ。そんなとき中古レコード屋でモンクの「モンクス・ドリーム」というアルバムが七百円で売っているのを見つけてね。こりゃ買いだと思って、心躍らせて買ったんだよ。それで、家へ帰ってレコードかけて聴いてみたら、これが実にヘンチクリンなピアノなの。「なんだよ、これ」って感じ。レコード買ったの失敗したなと思ったよ。友だちにも聴かせたら「これでもプロかよ」なんて同じ意見だったわけ。でも、もったいないから、ときどき聴いてたんだ。

それが、あるとき、急にすごくよくなった瞬間があったんだ。ピアノのタッチがチクチクした触覚的な感じでいいわけ。エッチな攻め方してくるんだよね。（実際にモンクの演奏を流す）このサックスも小粋なサックスって感じじゃないでしょ。まるでモンクに合わせてるみたいでしょ。でも、いまはこれがすごくいいと感じる。それで、あんなに嫌だと思ってたのが、こんなによくなるなんてこともあるんだなと思って……。固定観念の崩壊だね。こんな崩壊を望んでいたわけじゃないけど、知らない世界を知っちゃったみたいな感じ。未知の快感って感じ。

この「Body and Soul」のソロピアノがまたいいんだよね。ぶわーっと世界が広がる感じ。後から思うとなぜこの良さがわからなかったのかと不思議だよ。

「Body and Soul」という曲は「Monk's Dream」というアルバムに入っていますが、確かにジャズピアノを習いたての人が弾いているような粗野で粗忽な演奏といった感じがします。でも粗忽な演奏の背後に深い内面性が感じられます。内山くんが「チクチクした感じ」と言うのはよくわかります。モンクのピアノのタッチは確かに「チクチク」しています。

このように感覚が反転する例は、恋愛でもありますね。はじめはすごく印象悪かったんですけど、あるとき突然好きになって結婚しました、なんて話よく聞きますものね。

自分の意識をねじ伏せるようにやってくる体験、存在の声＝神の声は、いつも向こうから唐突にやってくるのです。

■神に触れるとき――東野圭吾『手紙』

最後に東野圭吾さん原作の『手紙』（二〇〇六年、監督：生野慈朗）という映画を紹介してこの章を終えたいと思います。良心の呼び声とは何か、存在とは何か、神とは何か、そんなことを心に留めて読んでみてください。兄と弟の物語です。

兄（玉山鉄二）は弟（山田孝之）の学費を手に入れるため強盗に入り、誤って殺人を犯してしまいます。裁判で無期懲役を言い渡され、千葉刑務所に収監されています。

小さなころから仲のよかった兄弟は、塀の中と外とで手紙のやり取りを交わし、お互いを気遣っています。兄はこの「手紙」のお陰で刑務所という孤独な世界の中で安らぎを得ています。

しかし、弟は現実生活の中で「殺人者の弟」というレッテルを貼られ、言われなき差別を受けます。「殺人者の弟」であることがわかると、せっかく就職した職場もクビになり、漫才師になる夢も誹謗中傷のメールによって断念せざるをえなくなります。婚約していたのですが相手の親が反対して別れることになります。

弟の生活は、兄が犯罪者というだけで次々と迫害を受けるのです。つまり、弟は兄によって現実生活の中で徐々に殺されていくのです。もちろん刑務所の中にいる兄はそんなことを知る由もなく、刑務所の中の平凡な日常について手紙を書き続けます。

次第に弟は苛立ってきます。

カキ氷を食べただって？　何を能天気なことを言ってるんだ。

弟は兄へ手紙を書くことをやめてしまいます。

弟がある電機会社に勤めたとき、やはり「殺人者の弟」であることがわかり配置転換となってしまいます。弟はもはや諦めの境地です。しかし彼のガールフレンド（沢尻エリカ）が電機会社の会長（杉浦直樹）へ直訴の手紙を書くのです。するとその手紙を読んだ会長は、ふらりと弟の前へ現れます。

差別から逃げちゃだめだ。犯罪者からできるだけ遠くにいたいという世間の気持ちは自然なものなんだ。それを無理に変えさせようとしたり、そこから逃げようとしても何も始まらない。いま、ここから始めるんだ。君には支えてくれる彼女がいるじゃないか。

会長の言葉に励まされ、やがてそのガールフレンドと結婚し、娘も生まれ家族三人の平凡な生活が始まります。しかしそこでも「犯罪者の弟」として忌避され始めます。そしてその差別の矛先が小さな娘にまで及ぼうとしたとき、弟は兄へ訣別の手紙を書きます。

今後、手紙は二度とよこすな。出所しても会いに来るな。子どもと家族のために私はあなたを捨てます、と。

兄との訣別の決意をした後、弟は被害者家族の許へ初めて謝罪に行きます。そこで、遺族から、兄が九年間、毎月欠かさず謝罪の手紙を送り届けていたことを知ります。また、遺族があえてその手紙を無視し続けてきたことも知ります。そして、「最後の手紙」について知らされます。

その被害者家族へ宛てた「最後の手紙」には次のようなことが書いてありました。

弟から訣別の手紙を受け取り、自分は多くの人々に現在もなお罪を犯し続けているのだということを知りました。手紙を書くことが単なる自己満足に過ぎず、相手を傷つけていたことにさえ気づいていなかったのです。だからこれで手紙を書くのは終わりにします。

すると「もう、これで終わりにしましょう」と被害者家族は弟に声をかけます。

なんと被害者家族に赦しの心が芽生えたのです。

その瞬間、弟は兄の謝罪の意味を知ります。「良心の呼び声」が聞こえたのです。

ラストシーンは、兄の謝罪の心を知った弟の兄への赦しと謝罪の場面です。

弟は以前組んでいた漫才の相方に声をかけ、兄が服する刑務所の慰問コンサートに漫才師として出演します。漫才の中で弟は兄のことを笑い飛ばします。

うちの兄貴は、すっげーバカですから……。

埼京線（サイキョウセン）のことを「最強」の電車だと思ってるんですから……。

東名高速道路は「トーメー」なのになぜ色がついてるんだ」と文句言ってるんですから……。

兄のこと思い出すと金曜日を思い出すんですよ。粗大ゴミの日ですから……。

兄を罵倒する弟、四人たちの笑い声、大きな笑いの渦……。

そして、弟が最後に舞台の上でぽつりと言います。


でも、血がつながってますから……。

ゴミでもなんでも、たった一人の兄貴ですから……。

これからも、ずっと、ずっと、兄貴ですから……。


四人たちの笑い声の中で、兄は合掌しながら、とめどもなく涙を流し続けます。

この漫才の最中、二人は深い謝罪とそれに拮抗する深い赦しという大きな光に包まれて、一瞬「神＝存在」に触れたのではないでしょうか。

「神」とはおそらくそのようにしか語りえない「瞬間」のことなのかもしれません。

第四章　いきものがかりの「YELL」を読む

冒頭の歌詞でまず度肝を抜かれました。

「〝わたしは〟今どこに在(あ)るの」


「どこにいるの」ではなく「どこに在るの」です。

「Where am "I"?」ではなく「Where do "I" exist?」です。

そして「ある」を存在の「在」という字をあてています。私は今どこに存在しているのだろう。そもそも存在するってどんなことだろう。これって、ハイデガーと同じ問題意識ですね。

驚いたことがもう一つ。ふつう〝わたし〟で引用符を区切りますが、あえて〝わたしは〟で区切っています。これはどういうことでしょう。

〝わたし〟というと静的な私を感じさせますが、〝わたしは〟で区切ると動的で何か次に続く言葉を期待させます。〝わたしは〟どうするのか。何を決断するのか。そんな行動する主体、主語的な私という感じがします。そういうニュアンスをこの引用符は表現していると思います。

実際、〝わたし〟は述語として使われます。「窓を割ったのは〝わたし〟です」「その音楽を作ったのは〝わたし〟です」……。それに対して〝わたしは〟は主語として使われます。「〝わたしは〟歌手になりたい」「〝わたしは〟小説家になりたい」……。

実は、〝わたし〟と〝わたしは〟の間にも存在論的差異が横たわっているのではないでしょうか。このフレーズはそんなことを考えさせてくれます。でも、この違いは、日本語の文法によるものなので、さすがのハイデガー先生も考えられなかったでしょうね。これって、もしかしたら日本語による一つの哲学的発見かも……。

翼はあるのに　飛べずにいるんだ
ひとりになるのが　恐くて　つらくて

どんな人でもその人らしい「翼」をもっています。どんな年代にもその年代にふさわしい翼があります。思春期には思春期の、中年期には中年期の、老年期には老年期の、障がい者には障がい者の……。でも飛ぶのが怖い。一人になるのが怖い。思わず付和雷同してしまう。頽落してしまう。非本来性から本来性へ超越する勇気がない。でも一度きりの人生です。人生の第四コーナーにさしかかったいま、思い切って飛んでみたらどうでしょう。まずは自分のできることをできる範囲でやってみることです。

どうしても飛ぶことをイメージできない人には、おすすめの方法があります。明日から一週間、奥さんの代わりに家事を全部あなたがするのです。いままでよほどのことがなければ家事なんてしてこなかったあなたが、自ら進んで毎日家事をすることを「決意する」。奥さんに何と言おうかと「考える」。そして実際やってみて、毎日家事をすることがどんなに大変なことかを「体験する」。「飛ぶ」ってことを手っ取り早く実感できますよ。そして結構遠くまで飛んでいけるかも（その「一週間」って限定してるところがダメなのよ）。汗……。

優しいひだまりに　肩寄せる日々を
越えて　僕ら　孤独な夢へと歩く

優しいひだまりに　肩寄せる日々——。言葉は優しくて美しいけれど、これって空談と好奇心に浸りきった世人として生きる日々ってことですよね。ひだまりで年寄りが集まって世間話をしている風景とか、仕事帰りに居酒屋で上司の愚痴を言い合っているしがないサラリーマンとかをイメージします。

他人と群がっていても決して未来は生まれない。群れから離れて孤独な実存者として夢を求めて歩け！　この歌詞はそう言っているのです。

サヨナラは悲しい言葉じゃない

それぞれの夢へと僕らを繋ぐ　YELL
サヨナラを誰かに告げるたびに
僕らまた変われる　強くなれるかな

未来の空に飛び立つためには、古い自分とサヨナラして新しい自分と出会わなければなりません。

　また、だれも、新しいぶどう酒を古い革袋に入れたりはしない。そんなことをすれば、新しいぶどう酒は革袋を破って流れ出し、革袋もだめになる。新しいぶどう酒は、新しい革袋に入れねばならない。
（前掲『聖書』「ルカによる福音書」5章37－38節）

新しいぶどう酒は新しい革袋に――。これは『新約聖書』にあるイエスの有名な言葉です。新しいぶどう酒とは「イエスの新しい教え」のことです。そして新しい革袋とはその教えを受け入れる「新しい心」のことです。キリスト教では、洗礼（バプテスマ）を受けていままでの自分とサヨナラして新しい人（クリスチャン）に生まれ変わるそうです。
「未来の空」という新しい葡萄酒を味わうためには「古い価値観をもった私」とサヨナラしなければなりません。でも、サヨナラは決して悲しい言葉ではありません。

「さよならは愛のことば」ではないでしょうか。

さよならをもう一度　あなたに
去って行く　その肩に
今日で終わるわけではないと
声を出して　教えたいの
このままいると　こわれそうな
二人だから　はなれるのさ
いつか逢える　きっと逢える
さよならは　愛のことばさ
（阿久悠作詞「さよならをもう一度」）

それぞれ能力をもっているのに、二人一緒に住んでいるとそれが発揮できない。いまはいったん別居して、それぞれの翼でそれぞれの空へ羽ばたいてみよう。そして、いつの日にかお互い成長した姿でもう一度逢おう。だから、サヨナラは悲しい別れの言葉ではなく、お互いをいたわり合う「愛のことば」なのです。そんな歌詞だと思います。ですから、この歌は決して過去を振り返ってセンチメンタリズムに浸る歌ではなく、むしろ、未来を見据えて、いまある世界を超えていこうとするロマンティシズムの歌なのです。

ふつう別れの曲と言えばマイナーキー（短調）ですが、この曲はメジャーキー（長調）です。しかも、冒頭で別れを賛美するかのような大らかなメロディーに乗せてスキャットで朗々と歌い上げています。いままでの別れの曲のイメージを根本からひっくり返しています。尾崎紀世彦の歌声も素晴らしい！　こんな前向きな別れの歌、聴いたことありません。

一方、なかにし礼もカントリーウエスタンの「I really don't want to know」という男の嫉妬心を歌った曲を訳詩して、『知りたくないの』という曲をヒットさせました。原曲はこんな歌詞です。

How many lips have kissed you
And set your soul aglow
How many, how many, I wonder
But I really don't want to know
（ハワード・バーンズ作詞）
どのくらいの男たちの唇が　君の唇の上に重ねられたのだろう
そしてどのくらい　君を燃え上がらせたのだろう
どのくらい　どのくらい　と　つい考えてしまう

でも　ほんとうは　ぼくはそんなこと　知りたくないんだ（著者訳）

この男の嫉妬の歌を、なかにし礼は女心を歌う詩に変え、菅原洋一さんという男性歌手に歌わせました。女心の詩を男に歌わせるところが、何ともなかにし礼の卓越した感性だと思います。だいたい、日本で男の嫉妬心を歌う歌なんて成立しませんからね。

あなたの過去など　知りたくないの
済んでしまったことは　仕方ないじゃないの
あの人のことは　忘れてほしい
たとえこの私が　聞いても　いわないで
あなたの愛が　真実なら
ただそれだけで　うれしいの
ああ愛しているから　知りたくないの
早く昔の恋を　忘れてほしいの
（なかにし礼作詞「知りたくないの」）

男が昔つき合っていた女性のことを未練がましく、ねちねち愚痴ってたんでしょうね。それを女性が、そんな昔のこと、どうだっていいじゃないの。済んだことは忘れて前を向いて生きなさいよ。振り返ったって後ろには夢がないんだから。そう言って男の未練を諫めているわけです。女性が男のセンチメンタリズムをロマンティシズムで乗り超えよ、と言っているわけですから、ある意味ではこの歌、ロマンティシズムの歌とも言えないこともないのですが、どうも男にその気が感じられません。そんなことだと、いずれこんなふうに言われてしまいますよ。

「あなたの〝こと〟など　知りたくないわ～」

ところで、日本で男の嫉妬を歌い上げた別れの曲なんてないと思っていたのですが、内山くんが「佐川満男はどうかね」と言うので調べてみました。するとありました、ありました。

『今は幸せかい』

確かにこの曲は男の未練を歌っています。

今は幸せかい　君と彼は
甘い口づけは　君を酔わせるかい
星を見つめて　一人で泣いた
（中村泰士作詞作曲「今は幸せかい」）

でも、これ、ストーカーの一歩手前じゃないかしら。

五木ひろしがこの曲をカバーしていて、情感込めて歌っていましたが、力んで歌えば歌うほど喜劇的に聞こえてしまいます。

一方、「知りたくないの」の原曲である「I really don't want to know」はどうかというと、おすすめのカバーがエルビス・プレスリーです。ロック調で格好よく爽快に歌っています。プレスリーが男の嫉妬を歌うと格好いいんですね。三連バラード調のドラムスがまた心地よい。プレスリーの嫉妬なら許容できます。やはり、男の嫉妬を歌い上げるなら、男としての器量がないとダメなのでしょう。

『今は幸せかい』もプレスリーの低音をきかせた声で歌ったらきっと格好いい曲になったと思いますよ。

話がそれてしまいました。サヨナラは悲しい言葉ではないという話でした。

サヨナラをすることで、人は誰でも生まれ変わることができるのです。

いつからでも。どこからでも。誰とでも。

さて、あなたは何とサヨナラしますか？

〟ほんとうの自分〟を　誰かの台詞（ことば）で
繕うことに　逃れて　迷って

自分の人生は自分の台詞で語りたい。それなのに、いつの間にか他人の台詞で語っている自分がいます。他人の言葉で繕っている自分がいます。

他人の台詞で語っているうちに、いつの間にか自分の人生だという手応えがなくなってきます。自分の価値観が他人の価値観に汚染されてくるのです。そんなときは、「汚染された自分」から逃げることです。「世人」からの誘惑から逃げることです。どうやって？

血があつい鉄道ならば
走りぬけてゆく汽車はいつかは心臓を通るだろう
［……］
合言葉は　A列車で行こう　だ
そうだ　A列車で行こう
それがだめなら走って行こう

（寺山修司著『ロンググッドバイ　寺山修司詩歌選』講談社文芸文庫）

あなたはいま、どんな列車に乗っていますか？

乗客ともそりが合わないし、車窓の風景も悪い？　目的地も行きたいところではない？

それならあなたの信じる理想の「A列車」に乗り換えたらどうですか？

それがだめなら、思い切って列車から飛び降りて自分の足で走ってみたらどうですか？

ありのままの弱さと　向き合う強さを
つかみ　僕ら　初めて　明日へと　駆ける

私の父は、アルツハイマーに罹(かか)った母を介護しているとき、こんな言葉を残しました。

［……］心の準備も必要でした。自分の破滅を感じ入院させるまでは「妻の哀れな姿を他人にみせたくない」「ボケをかくしてやりたい」の一念でしたが、これでは駄目だと思い知らされました。一人で隠れるようにする介護は必ず限界に達する。利用できる行政福祉サービスは全て利用しよう。ボランティア、隣人のお力添えも進んでお願いしよう。民間の力も借りよう。切り札は、悪化したら病院がある、というのを心の支えにしました。

（白鳥俊著『アルツハイマーという奇跡』文芸社）

父は弱さ（＝母）を一人で抱え込むのではなく、弱さと向き合い、弱さを誇りとして積極的に周囲の人たちの助けを求めました。人は弱さを誇れるようになったとき、強くなれるのです。そして、そのとき初めて「未来の空」へ飛び立つ勇気が生まれるのです。

ところが、主が言われた、「わたしの恵みはあなたに対して十分である。わたしの力は弱いところに完全にあらわれる」。それだから、キリストの力がわたしに宿るように、むしろ、喜んで自分の弱さを誇ろう。

（『聖書』口語訳、日本聖書協会「コリント人への第二の手紙」12章9節）

私は、障がい者と言われる人たちを見ると、そこに神の御業のようなものを感じます。彼らも君と同じ人間だよ。目を背けてはいけないよ。そういう声が聞こえてくるのです。

だから、わたしはキリストのためならば、弱さと、侮辱と、危機と、迫害と、行き詰まりとに甘んじよう。なぜなら、わたしが弱い時にこそ、わたしは強いからである。

（前掲書、12章10節）

「わたしが弱い時にこそ、わたしは強い」、いい言葉ですね。

「はじめに」で紹介した上野千鶴子さんも、平成三十一年の東京大学入学式で、自分の置かれた環境と能力を過信することなく、自分の弱さを認め、互いに支え合って生きてくださいい、と素敵な祝辞を述べられていました。

たとえ違う空へ飛び立とうとも
途絶えはしない想いよ　今も胸に

孤独を恐れず、それぞれの「空」へ飛び立つ勇気をもつとき、ぼくらは孤独な星として輝くことができるのです。たとえ二人別々に暮らしていても、そしてそれぞれの星が孤独だとしても、星と星との間には愛情という名の万有引力が密かに働いているのではないでしょうか。旅立ちは若者だけの特権ではありません。旅立ちはすべての人の権利です。人はいつからでも、どこからでも、誰とでも旅立つことができるのです。

将来に不安を抱いている若者たちよ。
現実の壁に突き当たっている中年たちよ。
記憶の中にアリバイを求めている老人たちよ。
後ろを振り向くな。
前を向いて、「未来の空」をともに歌おう。

いきものがかり「YELL」（作詞：水野良樹　作曲：水野良樹）

「〝わたしは〟今　どこに在るの」と
踏みしめた足跡を　何度も見つめ返す
枯葉を抱き　秋めく窓辺に
かじかんだ指先で　夢を描いた

翼はあるのに　飛べずにいるんだ
ひとりになるのが　恐くて　つらくて
優しいひだまりに　肩寄せる日々を
越えて　僕ら　孤独な夢へと歩く

サヨナラは悲しい言葉じゃない
それぞれの夢へと僕らを繋ぐ　YELL
ともに過ごした日々を胸に抱いて
飛び立つよ　独りで　未来（つぎ）の空へ

僕らはなぜ　答えを焦って
宛ての無い暗がりに自己（じぶん）を探すのだろう
誰かをただ　想う涙も
真っ直ぐな　笑顔も　ここに在るのに

〝ほんとうの自分〟を　誰かの台詞（ことば）で
繕うことに　逃れて　迷って
ありのままの弱さと　向き合う強さを
つかみ　僕ら　初めて　明日へと　駆ける

サヨナラを誰かに告げるたびに
僕らまた変われる　強くなれるかな
たとえ違う空へ飛び立とうとも
途絶えはしない想いよ　今も胸に

永遠など無いと（気づいたときから）
笑い合ったあの日も（唄い合ったあの日も）

強く　深く　胸に　刻まれていく
だからこそあなたは（だからこそ僕らは）
他の誰でもない（誰にも負けない）
声を（挙げて）〝わたし〟を　生きていくよと
約束したんだ
ひとり（ひとり）ひとつ（ひとつ）道を選んだ

サヨナラは悲しい言葉じゃない
それぞれの夢へと僕らを繋ぐ　YELL
いつかまためぐり逢う　そのときまで
忘れはしない誇りよ　友よ　空へ

僕らが分かち合う言葉がある
こころからこころへ　声を繋ぐ　YELL
ともに過ごした日々を胸に抱いて
飛び立つよ　独りで　未来(つぎ)の空へ

第五章　西田幾多郎の『善の研究』を読む

西田幾多郎（一八七〇－一九四五年）の代表作と言えば『善の研究』です。昭和二十二年に『西田幾多郎全集』が発売されたときは、発売日の前日に岩波書店の前に徹夜組の行列ができるほど話題を呼び、哲学書としては百二十万部を突破する異例のベストセラーとなりました。当時はそれほど「知」に飢えていた時代だったんですね。

西田は教師を退官した際に、自分の人生を次のように振り返りました。

> 回顧すれば、私の生涯は極めて簡単なものであった。その前半は黒板を前にして座した、その後半は黒板を後にして立った。黒板に向かって一回転をなしたといえば、それで私の伝記は尽きるのである。
>
> （西田幾多郎著『或教授の退職の辞』青空文庫）

仏教では、悟りを開くまでが行きの道「往相（おうそう）」、その悟りをもって悩める衆生を救うのが帰りの道「還相（げんそう）」と言われますが、西田の場合、黒板を前に座した時期が「往相」で黒板を後ろにして立った時期が「還相」ということかもしれませんね。それだけでも立派な人生だと思いますが、西田は教師を退官した後も研究を続けて多くの著作を残しました。私たちも人生百年時代、もう一度黒板を前に座して、二回転目に挑戦するのもよいかもしれませんよ。
では百二十万部を超えるベストセラー『善の研究』を繙いていきましょう。

■純粋経験——認識論

西田哲学において「純粋経験」という概念はとても重要なのですが、永井均さんの『西田幾多郎』という著書に、川端康成の『雪国』の冒頭の文章を日本語と英語訳で引用しているところがあって、それがものすごく腑に落ちる解説でしたので、まずは、その部分を引用させていただきます。

よく知られているように、川端康成の『雪国』は、
国境の長いトンネルを抜けると雪国であった。
という文章で始まっている。サイデンステッカーによる英訳では、この箇所は
The train came out of the long tunnel into the snow country.
と訳されている。
（永井均著『西田幾多郎〈絶対無〉とは何か』ＮＨＫ出版）

日本語の文には主語がありませんが、英文には「The train」という主語があります。この主語を用いないで表現する日本語の中に西田は日本独自の新しい哲学の可能性を見出したと言

えます。その哲学の可能性については追々説明するとして、もしこの冒頭部分、主語を交えてあえて説明的に表現したらどうなるでしょうか。試しにやってみましょうか。

列車はトンネルの暗闇の中をけたたましい音をたてながら走っていた。
突如、私は目の眩むような白い光の輪に包まれ、放心状態に陥った。
列車はトンネルを抜け出ていった。
一面の銀世界が繰り広げられていた。
雪国だった。

もちろん、川端康成はこんな説明的な文章を書くことはしません。「国境の長いトンネルを抜けると雪国であった」と主語を交えずに簡潔に表現しました。小説の冒頭に説明的な文章を置くのは彼の美学が許さなかったのでしょう。ちなみに内山くんは、「白鳥くんの文章、川端康成よりいいじゃない」って言ってくれました（もちろん冗談です！）。

これは、最小の客観で最大の主観を表現しようとする俳句の世界に通じるものです。

古池や蛙飛びこむ水の音

松尾芭蕉のこの句には「私」という主語は登場していません。主観を排除して、さらに客観的な状況もことごとく削ぎ落として読み手の想像力に委ねています。あえて、この句が生まれたときの状況を説明的に表現すればこんな感じでしょうか。

古びた佇まいの池があり、周囲は静寂に満ちていた。そんな静寂を打ち破るかのように一匹の蛙が池の中に飛びこんだ。その水音は辺り一面に反響した。私はふと我に返り、いかに私が静寂に包まれているのかを知った。

では、この俳句を英語に直訳したらどうでしょうか。

I heard a frog jumping into an old pond.

ぼくはカエルが古い池に飛びこんだ音を聞きました……。

これでは小学生の作文ですね。そもそも翻訳なんて文学の機微を捉えることができないのかもしれません。ちなみにタイトルの『雪国』は英語で「SNOW COUNTRY」ですよ。そして同じく川端の有名な小説『伊豆の踊子』にいたっては、何だと思います?

「The Izu Dancer」ですから。ダンサーかよ、って感じですよね。

というわけで、日本人が「感動」を表現するときには主語が欠落するのです。ところが、英語には主語が必要ですから、どうしても「The train」とか「I」という主語が入ってしまいます。日本語的にはそれは野暮っていうもの。それでは感動は伝えきれないでしょう。

なぜでしょうか。

たとえば、音楽を聴いて感動している場面を想像してみます。そこには私が音楽であり、音楽が私であるというような私と音楽との一体感がはじめにあって、やがて、こちら側に音楽を聴いている「私」がいて、向こう側に私を感動させている「音楽」が存在していると感じられます。

> あたかもわれわれが美妙なる音楽に心を奪われ、物我相忘れ、天地ただ嚠喨(りゅうりょう)たる一楽声のみなるがごとく、この刹那(せつな)いわゆる真実在が現前している。これを空気の振動であるとか、自分がこれを聴いているとかいう考えは、われわれがこの実在の真景を離れて反省し思惟することによって起こってくるので、このときわれわれはすでに真実在を離れているのである。
>
> （西田幾多郎著『日本の名著47　西田幾多郎』上山春平編、中央公論社、第二編「実在」第三章）

西洋文化では、私がいて、音楽があって、私が音楽を聴いて感動するという順序で考えます。

主観があり客観があり、そのうえで主観が客観をいかに捉えるかと考えるのが伝統的な西洋哲学の認識論です。

『雪国』の例で言えば、私がいて、雪国があって、私が雪国を目撃して感動するという順序です。しかし、実際は話が逆ではないかと西田は言うのです。まず私と雪国との一体化した状態があり、次に私と雪国とに分離される。音楽の例で言えば、まず私と音楽との一体化した状態がはじめにあり、次に私と音楽とに分離される。

つまり、はじめから主観と客観が分かれているのではなく、その前に原初的な主客未分化な事態がある。それこそが哲学の出発点であり、感動の原点であり、それを西田は「純粋経験」と呼んだのです。

たとえば、色を見、音を聞く刹那(せつな)、いまだこれが外物の作用であるとか、我がこれを感じているとかいうような考えのないのみならず、この色、この音は何であるという判断すら加わらない前をいうのである。それで純粋経験は直接経験と同一である。自己の意識状態を直下に経験したとき、いまだ主(しゅ)もなく客もない、知識とその対象とがまったく合一している。これが経験の最醇なるものである。

(前掲書、第一編「純粋経験」第一章)

デカルトは「我思う、ゆえに我あり」という原理を発見したと言われています。西洋哲学の認識論はこの「我」という主観から出発します。しかし、西田は「主観」が発生する前に「純粋経験」という場所が開けているじゃないかと言うのです。「純粋経験」がまずあり、そこへある力が働いて初めて主観と客観が分かれてくるのだと。つまり「私」を「私」たらしめている底（＝根拠）には「純粋経験」が存在している。純粋経験こそ本体（本物）で、そこから生まれる「私」は現象（仮象）にすぎないと言うのです。

デカルトは、まず「我思う」と言いましたが、はじめに「我」などないのです。まず「思う」としか言えないような事態があり、それを反省的に捉えたとき初めて「我」が登場するのです。ですから、デカルトの「我思う、ゆえに我あり」という言葉を西田流に言えば「思う、後に我あり」ということになると思います。

ところで「我思う、ゆえに我あり」、英語で言うと「I think; therefore I am.」です。

この命題は、「I think」が根拠となって「I am」を導いています。でも、根拠にすべき部分にすでに証明すべき「I」が入ってしまっていますよね。これって「論点先取の虚偽*」じゃないですか。デカルトには、命題の前提となった「I think」がなぜ成立するのか聞いてみたい気がしますね。まさか「I am; therefore I think.」なんて言わないでしょうけれど……。いや、もしそう言ってたとしたら新しい哲学（「第七章『私』は絶対矛盾的自己同一です」で詳述）が拓けていたかも……。

＊証明すべき命題が暗黙または明示的に前提の一つとして使われること。

■神――宗教論

さて、そこからさらに進みます。西田はこの純粋経験から「私」が生まれるという働きの奥底に、さらに大いなる場所があると言います。私という小さな意識を超えて他者とつながり、さらに宇宙へとつながる大いなる場所。自己と他者、生と死、精神と自然といった二項対立を統一する宇宙生命の大いなる働き。これを西田は「神」と呼びます。「私」の底には「純粋経験」がある。そして、その「純粋経験」の奥底にはあらゆる対立を無化し、統一する働きとしての「神」があると言うのです。

> 宇宙は神の所有物ではなく、神の表現manifestationである。外は日月星辰の運行より内は人心の機微にいたるまでことごとく神の表現でないものはない〔……〕かく外は自然の根底において一つの統一力の支配を認むるように、内は人心の根底においても一つの統一力の支配を認めねばならぬ。〔……〕しかしてこの統一がすなわち神である。
>
> （前掲書、第四編「宗教」第三章）

西田の言う「神」とは、キリスト教の神とは随分違います。キリスト教の神は世界の外、天上から人間を見下ろすイメージですが、西田の「神」は心の底でうごめくといったイメージです。自分の意識の底には自分ですら制御できない不可思議な働きがある。そういう直観が西田の「神」という考えを支えています。

フロイトの「無意識」、ユングの「集合的無意識」、唯識の「阿頼耶識（あらやしき）」などを連想させます。しかし私たちは、自分の小さな自己意識が邪魔をして、なかなかその「神」を捉えきることができないのです。

かく最深の宗教は神人同体の上に成立することができ、宗教の真意はこの神人合一の意義を獲得するにあるのである。すなわちわれわれは意識の根底において自己の意識を破りて働く堂々たる宇宙的精神を実験するにあるのである。（前掲書、第四編「宗教」第二章）

われわれの意識の底には誰にもかかる精神が働いているのである「理性や良心はその声である」。ただわれわれの小なる自己に妨げられてこれを知ることができないのである。（前掲書、第四編「宗教」第三章）

小さな自意識が神と遭遇することを邪魔しているわけですね。そして、「神人合一」こそ宗教の奥義であると言います。では、どのようにして神と合一できるのでしょうか。その実例が紹介されています。

> たとえば詩人テニスンのごときも次のごとき経験をもっておった。氏が静かに自分の名を唱えていると、自己の個人的意識の深き底から、自己の個人が溶解して無限の実在となる、しかも意識は決して朦朧（もうろう）たるものではなくもっとも明晰確実である。このとき死とは笑うべき不可能事で、個人の死ということが真の生であると感ぜられるといっている。氏は幼時より淋（さび）しき独居の際においてしばしばかかることを経験したという。
>
> （前掲書、第四編「宗教」第三章）

自分の名前を長時間唱え続けていると、いつの間にか自分の意識の底を突き破って神と一体化できる。そのとき、死は恐怖ではなく、むしろ死こそほんとうの生であると実感される。淋しいとき、苦しいとき、親から与えられた自分の名前を念仏のようにひたすら我を忘れて長時間唱えてみること。我を忘れて唱えているうちに、自分が囚われている小さな自我を手放すことができるというのです。

確かにある単語を反復して発音し続けていると、その言葉の意味が剥奪されて純粋に音声として聞こえてくる瞬間があります。以前、タレントのタモリさんが「日本語のものまね」というのをやっていたのを見たことがあります。私たち日本人は日本語を「意味」として聞いてしまいますが、日本語を知らない外国人にとっては意味を伴わない「音響」として聞こえているはずです。そんな外国人が聞いた音響としての日本語をタモリさんがものまねしていたのです。

意味の伴わない音響としての日本語。意味に転じる直前で寸止めされる日本語。これはものまねの最高峰に属するんじゃないかなあ。

民族音楽の中にも長時間演奏することによって、陶酔感を得て、神と近づこうとする音楽がありますす。ガムラン音楽やインド音楽なんかその典型ですね。

それから、私も内山くんも若いとき集団即興演奏をよくやっていたのですが、演奏中は、まさに没我の状態で、演奏したものを録音して後から聴き返してみると、よくもまあこんな演奏ができたものだと感心することがあるんです。同じような演奏を繰り返そうとしても、もう絶対できないなという感じです。集団即興演奏をしたことがある人にはこの感覚、よくわかると思います。没我して演奏するとき、自己という枠が取り払われる瞬間があるのです。

エリック・サティの「ヴェクサシオン」です。

ところで、世界で一番長いピアノ曲ってご存知ですか？

この作品は、五十二拍からなる一分程度の曲なのですが、八百四十回繰り返せと指示されているのです。テンポの指示がないので全曲演奏し終わるまでに十八時間から二十五時間かかります。演奏者は途中でトイレにも行かなければならないので、複数のピアニストで演奏します。

日本初演は、アメリカ文化センターで行われました。一九六七年十二月三十一日の午前中から開始し、一九六八年一月一日の朝に終了しました。一柳慧、石井眞木、湯浅譲二、ロジャー・レイノルズ、黛敏郎ら十六人が演奏者として参加しました。

しかし、実はもっと長い音楽があるんです。

ジョン・ケージ作曲の「ASLSP」という曲です。

では、ここで問題です。この曲はいったいどのくらいの長さでしょう。

A　六百三十九時間　B　六百三十九日間　C　六百三十九年間

答えはなんと「C」です。六百三十九年間！

タイトルの「ASLSP」は「As SLow aS Possible」の略です。二〇〇一年から二六四〇年までかけて演奏されることになっています。つまり、いまもこの曲は演奏中なのです。二〇二〇年九月十日付のCNNのオンラインニュースの記事です。

タイトルは「演奏時間600年以上のオルガン曲、7年ぶりにコードが進行」です。


独中部ハルバーシュタットの教会で600年以上かけて演奏されている楽曲がこのほど、7年ぶりに次のコードに移った。

米国の作曲家、故ジョン・ケージ氏によるオルガン曲で、題名は「できるだけ遅く」という意味の「ASLSP」。ゆっくりとした演奏のために特別につくられたオルガンで、2001年から2640年まで639年をかけて演奏されることになっている。

> これまでに18ヵ月間の休符もあり、最後にコードが変わったのは2013年だった。次のコード変更は22年2月に予定されている。

七年ぶりにコードが進行、十八カ月間の休符……。

そして今はまた次のコードを響かせている……。

なんと壮大な曲でしょう。人生の何倍もある音楽です。

もちろん終わりのない音楽、終わりのない映画、終わりのない小説なんて退屈で鑑賞に堪えられないでしょう。人生にも死がなかったら、つまり「永遠の生命」が与えられたとしたら、それは輝きのない平板な時間の流れる人生になってしまうのではないでしょうか。人生には死という終わりがある。そのつらくて悲しい死があるからこそ「先駆的決意」（ハイデガー）ができ、いまこの一瞬が輝きを放つのではないでしょうか。

でも、この音楽には終わりがあります。樹齢千年の木があるくらいだから、演奏時間六百三十九年の音楽があってもいいよね。

話がそれましたが、西田は我を忘れて物事に熱中して取り組んでいる忘我の瞬間を「純粋経験」と呼び、それが「自己」を解体する入り口だと考えているようです。そしてさらに自己という小さな意識を取り払い、意識の深みに入り込み、自己意識に囚われることがなくなれば「神」という大いなる働きに触れることができるのです。

■空――存在論

ここまでくると西田の考えは、かなり仏教的な色彩が強いように感じます。『般若心経』の中に「色即是空」という有名な言葉があります。「色」とはこの世にあるすべての事物、現象のことです。「空」は少し説明がいります。

空は、有とか無とは関係ありません。有とは無でないことであり、無とは有でないということです。両者は決定的に相容れません。机の上にリンゴは有るか無いかのいずれかです。ところが、「空」とは、「有るとも言えるし無いとも言える」「有るとは言えないが無いとも言えない」といった考えなのです。つまり「色即是空」とは「この世に存在していると思われているものはすべて、存在しているとも言えるし、存在していないとも言える、存在しているとは言えないが、存在していないとも言えない」ということなのです。

引き寄せて結べば柴の庵にて解くれば元の野原なりけり（慈円）

草木を結んで庵（小屋）ができます。でも結び目を解いてしまえば元の草木だけで庵は存在しません。庵は有るとも言えるし、無いとも言えます。有るとは言えないが、無いとも言えません。結べば庵は存在するし（色即是空）、結びを解けば庵は存在しません（空即是色）。これが「空」ということです。「結ぶこと」と「庵」とは相互依存関係にあるのです。互いが互いの原因となり結果となっています。これが空の構造です。

たとえば、私と内山くんがあるところで会うとしましょう。はじめに、出会いがあるのです。その出会った瞬間に、私は友人の白鳥となり、彼は友人の内山となるのです。たまたま内山くんと出会う前に私が長男と出会ったら、私は父親となり長男は息子となるのです。このように、私とは、関係の中で「有」として生まれ、その関係が解かれてしまえば「無」となってしまうような存在なのです。

交通事故の被害者と加害者もはじめから存在するわけではありませんよね。まず「交通事故」が起こる。ガッシャーン！　純粋経験！　その後に加害者と被害者とに分かれるのです。要するに、人は他者との関係の中で友人になったり、親になったり、被害者になったり、加害者になったりするわけです。自己とは単独で存在するものではなく、他者との関係の中で存在する関係的存在なのです。

西田によるとこのようなことは西洋人も言っているそうです。


ニコラウス・クザヌスのごときは「神は有無をも超越し、神は有にしてまた無なり」といっている。われわれが深く自己の意識の奥底を反省してみるときはかつてヤコブ・ベーメが、神は「物なき静かさ」であるとか、「無底」Ungrundであるとかまたは「対象なき

意志」Wille ohne Ge-genstandであるとかいった語に深き意味を見いだすこともでき、また一種崇高にして不可思議の感に打たれるのである。（前掲書、第四編「宗教」第四章）

「神は有にしてまた無なり」。これ「空」ってことですよね。

ところで、もし私が「空とは何か」と聞かれたら、ちょっと俗っぽいのですが気に入っている説明がありますのでご紹介します。それは、詠み人しらずの古い短歌です。


手を打てば鯉は餌と聞き鳥は逃げ女中は茶と聞く猿沢の池

猿沢の池で誰かが手を打ちます。すると池の鯉は餌がもらえると思って寄ってきます。池のほとりにいた鳥は手の音に驚いて飛び去ります。女中さんは、「あらご主人さま、お茶がほしいのかしら」と察します。つまり、「手を打つ」という一つの出来事であってもそれを受け取る者の立場が違えば、捉え方が異なるということです。ですから手を叩いた音そのものに絶対的な意味はなく、音とそれを聞いた者との関係の中でしか意味は発生しないということです。音は存在しているとも言えるし存在していないとも言える。これが「空」ということの意味なのです。でも物理的な音響は確実に存在しているじゃないか、ですって？

西田先生ちゃんと答えていますよ。

> 物体というもわれわれの意識現象を離れて別に独立の実在を知りうるのではない。われわれに与えられたる直接経験の事実はただこの意識現象あるのみである。空間といい、時間といい、物力といいみなこの事実を統一説明するために設けられたる概念にすぎない。物理学者のいうような、すべてわれわれの個人の性を除去したる純物質というごときものはもっとも具体的事実に遠ざかりたる抽象的概念である。（前掲書、第四編「宗教」第三章）

純粋経験こそ根源的な事実であり、時間、空間といった物理的な現象などは、純粋経験から派生した抽象的概念、仮象にすぎないと言っているわけです。ここは、西田が繰り返し語っているところです。私たちはどうしても音が鳴ってから、聞くという体験があると考えてしまいます。しかしそれは逆なのです。聞くという体験がはじめにあり、その後にいろいろな説明をつけ加えた結果「音」という抽象的概念が創出されるのです。

何かに夢中になっていて、音が鳴っていたのに聞こえなかったという体験、ありますよね。誰かが「ほんとうは音が鳴っていたんだよ」と言って証拠を見せられれば「そうだったんだ」と思いますが、だからと言って「音が鳴っていたのに聞こえなかった」という事実自体を否定することはできないでしょう。証拠を示されて「そうか、それならやっぱり聞こえていたよ」とはならないはずです。なぜなら、それは、経験を経験たらしめる根源的経験、即ち純粋経験だからです。事実誤認はよくあることです。訂正すればよろしい。しかし、誤認したという事実は、根源的経験であるがゆえに決して取り消すことはできないのです。

純粋経験がはじめにある。そして後からその経験を説明する。この順番が腑に落ちれば純粋経験の奥義を体得できたことになるでしょう。

そして「自己」もそのような現象にすぎないのです。自己は自分自身だけで存在することはできない。他者との関係の中でしか存在できない。だから「自己」の底を突き抜けて自己と他者が合一した地点へ到達せよ、さらに絶対的他者である「神」と一体化せよ、そのとき自己という小さな枠を取り払うことができるというのです。

自己の底を突き抜けるということは、つまりは自己の欲望やこだわりを捨て去るということでしょう。私たちはその境地を目指すべきだと西田は考えていたのだと思います。

この自己と他者が合一した境地、これについて、西田は『新約聖書』のパウロのこんな言葉を引用しています。

生きているのは、もはやわたしではありません。キリストがわたしの内に生きておられるのです。わたしが今、肉において生きているのは、わたしを愛し、わたしのために身を献げられた神の子にたいする信仰によるものです。

（『聖書』新共同訳、日本聖書協会「ガラテヤの信徒への手紙」2章20節）

パウロは「私は私ではありません」と言っているわけです。キリストを全面的に信じ、キリストに完全に帰依したとき、まさに「主客相没し物我相忘れ」る境地に至るのです。

すると、内山くんから一言。

「西田の考えは素晴らしいけれど、ぼくはとてもそんな悟りの境地には到達できないなあ」

そうですか。でも、もし西田のこの考えが実践できないとなると、やはり西田の考え、どこか欠陥があるのかもしれませんね。日常生活の中で実践するための具体的な方法論はあるのでしょうか。実は、西田先生、ちゃんと答えてくれています。

これよりわれわれ人間は何をなすべきか、善とはいかなるものであるか、人間の行動はどこに帰着すべきかというような実践的問題を論ずることとしよう。

（前掲『日本の名著47　西田幾多郎』第三編「善」第一章）

■善――道徳論

ふつう道徳というと、自分の欲望を抑制する、他人のためになる行為をするといったイメージですよね。大乗仏教でも徹底的な自己犠牲による利他行（りたぎょう）が大切だと言っています。西田の生きた時代（一八七〇－一九四五年）は、こういう道徳観がいまよりもさらに強かった時代だと思います。しかし西田は次のように言います。

> 世のいわゆる道徳家なるものは［……］義務とか法則とかいって、いたずらに自己の要求を抑圧し活動を束縛するのをもって善の本性と心得ている。［……］いたずらに要求を抑制するのはかえって善の本性にもとったものである。善は命令的威厳の性質をも具えておらねばならぬが、これよりも自然的好楽というのが一層必要なる性質である。いわゆる道徳の義務とか法則とかいうのは、義務あるいは法則そのものに価値があるのではなく、かえって大なる要求に基づいて起こるのである。
>
> （前掲書、第三編「善」第九章）

自分の欲求を抑圧することに意味があるのではなく、具現化することに意味がある。つまり、道徳とは私たちの理想を達成するための手段にすぎないということです。

『新約聖書』にこんな話があります。

イエスの弟子たちが安息日に空腹だったので麦の穂を摘んで食べていました。それを見ていたユダヤ教の律法学者はイエスを非難します。

「なぜ安息日に許されないことをするのか」と。

当時のユダヤ教では安息日（土曜日）には労働したり、活動的なことをしてはいけないとされていました。そこで、麦の穂を摘む行為が労働だとみなされたわけです。イエスは答えます。

「安息日は、人のために定められた。人が安息日のためにあるのではない。だから、人の子は安息日の主でもある。」

（前掲『聖書』「マルコによる福音書」2章27－28節）

安息日（規則）のために人があるのではない、人のために安息日（規則）があるんだよ、と。聖書はこのシーンをあっさり書いていますが、ここではイエスと律法学者との間でかなりの激論が交わされていたシーンだと思います。こんな感じだったと思いますよ。

イエス曰く「安息日だから麦を食うなって？　みんな腹ペコで死にそうなんだ。麦くらい食うよ。俺たちには伝えるべき福音があるんだ。そんなつまらぬ規則にこだわっていては、福音は伝えられないね。安息日が俺たちの主人ではなく、俺たちこそ安息日の主人なんだ。あんたたち、そこんとこ、ちょっと勘違いしているぞ！」。

というわけで、西田は自分の理想の実現こそ善であり幸福であり、道徳とはその実現のために要請される手段にすぎないのだと言います。では「自分の理想」とは何でしょう。私には理想なんてそんな高邁なものはないなあと言う人には、西田先生から手厳しい一言。

いかなる人間でも白痴のごとき者にあらざる以上は、決して純粋に肉体的欲望をもって

満足するものではない、必ずその心の底には観念的欲望が働いている。すなわちいかなる人も何らかの理想を抱いている。［……］つまり人間は肉体の上において生存しているのではなく、観念の上において生命を有しているのである。

（前掲『日本の名著47　西田幾多郎』第三編「善」第十章）

いかなる人間でもみなおのおのその顔の異なるように、他人の模倣のできない一あって二なき特色をもっているのである。しかしてこの実現は各人に無上の満足を与え、また宇宙進化の上に欠くべからず一員とならしむるのである。（前掲書、第三編「善」第十二章）

ちょっと差別的な用語もありますが、要するに散歩したり、健康ばかり気にしたりしているだけじゃ何のために生きているのかわからないじゃないか。人間には生物学的身体とともに観念的身体が存在している。なにか一つや二つ、自分らしいものをもっているだろう。その観念的身体が発する声、内面的欲求の声に耳を傾けろ、自分の可能性を発掘し表現せよと言っているわけです。

友人のWくんは「俺は何か新しいことしたいなんて思わないね。健康に気をつけて普通の老人になればいいんだよ。あえて言えば、これからは妻への罪滅ぼしとして人生を捧げるよ。女房のために毎日料理を作ろうと思っている」と言います。そして「俺はそれで自己満足しているんだから、とやかく言うなよ」と付け加えます。

この話を聞いた内山くんの感想です。

奥さんにどんな罪を犯したのか知らないけれど、少しネガティブすぎない？　もちろん、奥さんへの罪滅ぼしのために人生捧げるのはいいけれど、どうせならこれをきっかけに、料理の勉強をして奥さんを喜ばせ、さらに奥さんの友達に料理を振る舞えるくらいの腕を目指したらどうかね。「あら、この料理、ご主人のセンス？　いい味出してるわね。プロ級ね」と唸らせるくらいの料理の腕を身につけたいね。それが男の心意気ってもんじゃないかね。

さて、西田先生は自分の理想を実現することが善であると言いますが、たとえばボランティア活動するなんていうのはどうでしょう。


従来世人はあまり個人的善ということに重きをおいておらぬ。しかし余は個人の善ということはもっとも大切なるもので、すべて他の善の基礎となるであろうと思う。〔……〕余は自己の本分を忘れいたずらに他のために奔走した人よりも、よく自分の本色を発揮した人が偉大であると思う。

（前掲書、第四編「善」第十二章）


髪振り乱して、自分の生活を犠牲にして、貧乏に耐え「私は福祉をやっています」なんていうのはダメなんですね。「自分の本色を発揮」することが一番であると。結果として他者のた

めの行為になればよいということだと思います。

ここには「自分の幸せを追求することが相手の幸せにつながることでなければならない」という西田の幸福論があります。自己犠牲の上に見出された幸せはニセモノの幸せだ。だから自分が幸せになることが相手の幸せにつながるように行動しなさい、と。

イエスも「自分を愛するように隣人を愛せ」と言いましたが、自分を愛するのが最初で次に隣人を愛する。この順番が大切なのでしょうね。

竹は竹、松は松と各自その天賦を充分に発揮するように、人間が人間の天性自然を発揮するのが人間の善である。〔……〕ここにおいて善の概念は美の概念と近接してくる。美とは物が理想のごとくに実現する場合に感ぜらるるのである。理想のごとく実現するというのは物が自然の本性を発揮する謂いである。それで花が花の本性を現じたるときもっとも美なるがごとく、人間が人間の本性を現じたときは美の頂上に達するのである。善はすなわち美である。たとい行為そのものは大なる人性の要求からみて何らの価値なきものであっても、その行為が真にその人の天性より出でたる自然の行為であったときには一種の美感を惹(ひ)くように、道徳上においても一種寛容の情を生ずるのである。

（前掲書、第三編「善」第九章）

このあたりの文章は感動的ですね。私の一番好きなところです。竹は竹、松は松、そして私は私、あなたはあなた。自分の持ち味を十分発揮しなさい。たとえそれが拙いものであったとしても、自分の本性から発したものであれば、それは美しいのです。

あなたはあなたらしい花を咲かせていますか？でも個人的善を追求する生き方は、私利私欲に走ることを許容する倫理観になりませんか？「枯れ木も山のにぎわい*」じゃ困りますよ。

＊枯木も山の風致を添えるものである。転じて、つまらない物も数に加えておけば無いよりはましであることのたとえ。（『広辞苑』第六版、岩波書店）

しかし余がここに個人的善というのは私利私慾ということとは異なっている。個人主義と利己主義とは厳しく区別しておかねばならぬ。利己主義とは自己の快楽を目的とした、つまりわがままということである。個人主義はこれと正反対である。各人が自己の物質慾を恣（ほしいまま）にするということはかえって個人性を没することになる。豕（ぶた）が幾匹いてもその間に個人性はない。また人は個人主義と共同主義と相反するようにいうが、余はこの両者は一致するものであると考える。一社会の中にいる個人がおのおの充分に活動してその天分を発揮してこそ、はじめて社会が進歩するのである。

（前掲書、第三編「善」第十二章）

個人の可能性を真摯に追求しようとする限り、それは社会と衝突するはずがないという考えです。しかし、自己の本性を十分に発揮して悪をなすこともあるのではないでしょうか。ヒトラー、スターリン、毛沢東のような人間も自己の本性を発揮したと言えるのではないでしょうか。ハイデガーもナチスに加担したし、「良心の声」も時には「悪魔の声」になるのかな？

経済学者のアダム・スミスは資本主義的市場経済において個々人が利益を追求しても、結果として社会全体の利益となるように「見えざる手」が働くと考えましたが、西田も倫理学版「見えざる手」を信じていたように思います。個々人が自分の理想を追求することによって、社会全体の理想が「見えざる手」によって達成されるのだと。

実はアダム・スミスの「見えざる手」という言葉はいつの間にか「神の見えざる手」なんて言われるようになっていますが、アダム・スミスはそうは言っていません。でも、やはり「神の」とつくことが重要なのかもしれません。「悪魔の見えざる手」じゃ困りますものね。ここは西田倫理学の評価の分かれるところです。

ちなみにアダム・スミスの「見えざる手」は『国富論』の中でたった一度だけ出てくる言葉です。結構有名な言葉なので引用しておきましょう。

人は自分自身の安全と利益だけを求めようとする。この利益は、例えば「莫大な利益を生み出し得る品物を生産する」といった形で事業を運営することにより、得られるもので

ある。そして人がこのような行動を意図するのは、他の多くの事例同様、人が全く意図していなかった目的を達成させようとする見えざる手によって導かれた結果なのである。

（アダム・スミス著『国富論１』水田洋監訳、岩波文庫）

さて、西田は「現実の私」を「可能性の私」に向かって企投せよと言っているように見えます。そのために自分の能力を最大限開花させるよう努力してみよ、と。

「私は私になる」

前者の「私」はハイデガーの言う「非本来的自己＝世人」です。後者の「私」は「本来的自己＝実存者」です。非本来的自己が本来的自己になる。世人が実存者になる。

確かに「現実の私」はどこまでいっても「理想の私」には到達しえないのかもしれません。それでも、私が私を超越し続けようとすること、そのこと自体が善であり、美であり、幸福なのです。

西田とハイデガー、似てるなあ～。

ただ、西田はもう一歩だけ進めました。最後に到達する地点はパウロの言う無私の境地です。

「私は私ではありません」

ここを目指せ、と。これが、「西田流花咲かじいさん」です。

■対象化する働きを対象化できる?

主観と客観の分かれる前に「純粋経験」という主客未分化な世界があると西田は言いました。

では、主客未分化な状態から主客分化する過程はどうなっているのでしょうか。

図式化してみましょう。


「!」↓「美しい!」↓「花だ!」↓「美しい花だ!」↓「私は美しい花を見ている」


「!」という感嘆符が言語化以前の主客未分化な純粋経験です。

次に「美しい!」と感動が押し寄せてきます。

次に「花だ!」と花が前面に出てきます。

そして「美しさと花が結びつきます。

我に返って「私は美しい花だ!」と美しさと花が結びつきます。


問題はこの主客未分化な状態から主客分化するプロセスをどう考えるかということです。

いまのこのプロセスは「私」が「花」というモノを対象化していったプロセスです。ということは、「私」の中にモノを対象化する「働き」があったということになります。要するに、「私」とは「モノを対象化する働き」のことなのです。

そうすると「私とは何か」という問いに対しては、この「モノを対象化する働き」を明らかにすればよいということになります。つまり、対象化する働きを対象化すればよいわけです。

しかし、そんなことができるのでしょうか。

実は、対象化する働きを対象化することはできません。というのも、もし対象化してしまったら、それは世界の中にある一つの「対象物」になってしまうからです。それは「対象化する働き」とは別物です。

たとえば、目はさまざまな「対象物」を見ることができます。しかし、「見ること＝見る働き」を見ることはできません。同じように「私」とは対象物を認識する働きのことですから、その認識する働き自身を対象化することはできないのです。

私はいま教室の中にいます。そして、私はこの教室を絵画で完璧に再現（対象化）しようとしたとします。私はキャンバスと絵の具を持ってきて教室の中を隈なく描写します。このとき、私が絵を描いているという姿も描き込まなければなりません。しかし、その絵の中にも私が絵を描いているという姿を描き込まなければなりません。さらにその絵の中にも……。このように、鏡の無限反射のように、この作業はどこまでも永遠に続いてしまい、結局部屋の絵は完全には描ききれません。つまり対象化できないのです。

同じように、私が私自身を対象化したとしても、対象化した私の働き自体はいつも対象化されずに残ってしまいます。

「夢を見る」ということも同じではないでしょうか。私たちは「夢」を見ることはできますが、「夢を見る」ということを夢の中で知ることはできません。つまり夢を見ることを対象化することはできないのです。もし夢の中で夢だとわかったとしたら、それは「夢だと気がついた夢（明晰夢）」を見ていたということにすぎません。夢から醒めなければそれを夢であると認識することはできないのです。

現在形で語りうるものが定義上「現実」と呼ばれるものですから、夢の中で知覚されている世界は、夢を見ている当人にとっては「現実」のはずです。夢から醒めて初めて、あの現実は夢だった、と過去形で語りうるのです。

私の母はアルツハイマーになり、一時、幻覚と呼ばれる症状が出ましたが、それは母にとっては「幻覚」ではなく「現実」だったはずです。ただ母の場合、ふつうの夢と違う点は、それが「永遠に醒めない夢」だったということです。

ところで、内山くんは夢の中で夢であることに気づくことがあると言います。

朝方、眠りが浅くなったとき、「いま見ているのは夢だ」と気づくことがある。夢の中で夢だとわかった瞬間は、自分は夢というフィクションの中で自由に行動できるんだとワクワクし

料金受取人払郵便

新宿局承認

2524

差出有効期間
2025年3月
31日まで
(切手不要)

郵便はがき

1 6 0-8 7 9 1

141

東京都新宿区新宿1－10－1

(株)文芸社

愛読者カード係 行

ふりがな お名前		明治 大正 昭和 平成 年生 歳
ふりがな ご住所	□□□-□□□□	性別 男・女
お電話 番 号	(書籍ご注文の際に必要です)	ご職業
E-mail		

ご購読雑誌(複数可)	ご購読新聞 新聞

最近読んでおもしろかった本や今後、とりあげてほしいテーマをお教えください。

ご自分の研究成果や経験、お考え等を出版してみたいというお気持ちはありますか。

ある　ない　内容・テーマ(　　　　　　　　　　)

現在完成した作品をお持ちですか。

ある　ない　ジャンル・原稿量(　　　　　　　　　　)

書　名			
お買上 書　店	都道　　市区 府県　　郡	書店名	書店
		ご購入日	年　月　日

本書をどこでお知りになりましたか?

1.書店店頭　2.知人にすすめられて　3.インターネット(サイト名　　)

4.DMハガキ　5.広告、記事を見て(新聞、雑誌名　　)

上の質問に関連して、ご購入の決め手となったのは?

1.タイトル　2.著者　3.内容　4.カバーデザイン　5.帯

その他ご自由にお書きください。

(　　)

本書についてのご意見、ご感想をお聞かせください。

①内容について

②カバー、タイトル、帯について

弊社Webサイトからもご意見、ご感想をお寄せいただけます。

ご協力ありがとうございました。

※お寄せいただいたご意見、ご感想は新聞広告等で匿名にて使わせていただくことがあります。

※お客様の個人情報は、小社からの連絡のみに使用します。社外に提供することは一切ありません。

た気分になる。

「よーし、何でもやってやろう」と思う。ときどき、夢だとわかった衝撃が強くて目が覚めてしまい、がっかりすることもあるけれど……。

　あるとき、道を歩いていて、ＪＲ御徒町駅のガード下をのぞいたとき、自分は視覚障がいがあるのに、なぜ風景が見えるのだろうと不思議に思い、これは夢だということに気がついた。それじゃあ何でもやってやろうと思い、昼間だけどワインを飲もうとイタリアンレストランへ入ることにしたんだ。ところが、入る店、入る店、レストランではないんだよ。家具屋だったり、布団屋だったり、洋服屋だったり（「布団屋」というのは昭和レトロで面白いね）。

　そこで今度は、女の子でもナンパしようと思い、女の子を探すんだけど、声はすれどもなかなか姿が見つからない。そこで今度は、これは夢なんだから空を飛べるはずだと思い、空を飛んで女の子を探そうと思う。ちょっと力むと簡単に空を飛べるんだ。空を飛びながら下界を眺めると、視野の右側にピアノの鍵盤が縦にずっと並んでいる。ぼくが飛んでいく方向にピアノの鍵盤もどこまでもスクロールしてくる。不思議な光景だなあと思っているといつの間にか夢から醒めてしまった。

　内山くんの夢。やはり「夢だと気がついた夢」ということでしょうね。でも、結構面白い夢を見るんですね。

ルネ・マグリットの「イメージの裏切り」という作品があります。この絵には本物と見分けがつかないくらいリアルなパイプが描かれています。そして、そのパイプの下に「これはパイプではない」という文章が添えられています。

たとえば、この絵を前にして「これは何の絵ですか」と質問されれば「これはパイプである」と答えるでしょう。それは私たちが、絵画という夢の中に入り込んでいるからそう答えるのです。絵画という夢の中では「これはパイプである」と言うのは正しい。しかし、絵画という夢の外へ出てしまえば、「これはパイプではない」と言うのが正しい。なぜって、絵の中のパイプで煙草を吸うことはできませんから。

さて、私たちがマグリットの絵を鑑賞しようとして絵画という夢の中へ入り込もうとすると、絵画の中にある「これはパイプではない」という文章が私たちを絵画という夢の中へ入ることを妨げます。

これはまるで、あなたが夢を見ているとき、夢の中で誰かがやってきて「これは現実ではない」というプラカードを掲げているようなものです。そんなプラカードが出てきたらおちおち夢なんて見てられませんよね。というわけで、マグリットのこの絵は「絵画という夢（フィクション）」を主題化したコンセプチュアル・アートなのです。

■絶対無の場所？

では、西田は、「対象化する働きを対象化する」という難問についてどう考えたのでしょうか。

> 普通には我という如きものも物と同じく、種々なる性質を有つ主語的統一と考えるが、我とは主語的統一ではなくして、述語的統一でなければならぬ、一つの点ではなくして一つの円でなければならぬ、物ではなく場所でなければならぬ。
>
> （西田幾多郎著『西田幾多郎哲学論集Ⅰ　場所・私と汝 他六篇』上田閑照編、岩波文庫）

ふつう、私（主観）がモノ（客観）を認識すると考えます。これは主語的統一です。しかし、西田はその私（主観）自身も対象化されたモノ（客観）にすぎないと考えました。たとえば「私」はあるときは「父親」であり、「夫」であり、「長男」であり、「作曲家」です。このように「私」は常にすでに対象化されてしまっているのです。ということは、私たちの常識とはまったく異なって、「私」とは、主観ではなく客観なのです。

この私をも対象化する「働き」のことを西田は「述語的統一」と呼び、それは「場所」において発生していると考えたのです。「場所」の中で主観と客観が対象化されるのです。ですから、主観と客観が対象化される前の「場所」がほんとうの私だということになります。

では、すべてを対象化する「場所」とは、一体どのような場所なのでしょうか？　こう問いたくなりますよね。でも、このような問いは成立しないのです。なぜなら、「問う」という行為は何かを対象化することだからです。対象化する働きである場所を対象化してしまっては場所を問うことはできません。

うーむ。結局ここに行き着いちゃうんですよね。でも、「場所」を体感する方法はあるんですよ。私は最近その方法を習得しましたので、こっそり皆さんにお教えしましょう。

たとえば、「空は晴れている」というような知覚体験では、ことさら「私」や「晴れた空」が意識されることはありません。なぜなら、そこでは「私が何かを見る」という意識作用が希薄だからです。その証拠に「空は晴れている」とは言いますが「私が晴れた空を見ている」なんて力んで表現しませんよね。そこでは、対象化された「私」や「晴れた空」は限りなく後退し、対象化する働き＝場所だけが前面に押し出されてきます。晴れた空は、ただ見えているだけです。私という意識はほとんどありません。ですから、ぼんやり空を眺めるのです。そうすると「場所」を感じとることができますよ。「場所を捉えるぞ！」なんて力んだら駄目です。ぼーっと空を眺めるだけでいいんです。星飛雄馬の大リーグボール3号*を打つ要領です。

梶井基次郎の『城のある町にて』という小説の中に「空は悲しいまでに晴れていた」という一節があります。この一節、主人公の「場所」が悲しみに染まっている感じがうまく表現されていて、いまでも心に残っている一節です。

＊漫画『巨人の星』で星飛雄馬が投げた下手投げの魔球。球を放す刹那、親指と人差し指で球を押

し出すと、本塁近くで球の推進力が零になるため、思いっきりバットを振っても風圧で球が浮いてしまいバットに当たらない。

――我が我を知ることができないのは述語が主語となることができないのである。（前掲書）――

私は私という場所を知ることができません。場所は対象物を生み出すことはできますが、場所自体が対象物になることはできないからです。場所は述語になることはできるが、主語になることはできないということです。常に述語として主語を生み出すのです。

たとえば、「ブンとは何か」と問うてみましょう。するとブンという主語の下には膨大な述語群が存在していることがわかります。ブンは犬である、柴犬である、ペットである、体重十キロである……。こうしたさまざまな述語群が「ブン」という主語を生み出しています。しかし、最終的には「ブンはブンである」としか言いようのない場所に行き着きます。「これはこれである」としか言いようのない究極の場所です。「これは何ですか」と聞かれても、「これはこれである」としか言いようのない究極の場所です。

「このリンゴは何色ですか？」

「赤です」

「赤ってどんな色ですか?」

「信号機の止まれの色ですよ」

「信号機の止まれの色ってどんな色ですか」

「赤でしょ」

「赤ってどんな色ですか?」

「だから、赤は赤でしょ」


「赤は赤である」としか言いようのない究極の場所——。

店員「ワインは何にいたしましょう」
内山「この前飲んだ**あれ**にしよう」
店員「**これ**でございますか?」
内山「(ワインを一口飲む)いや、**これ**じゃないなあ」
店員「では、**これ**でございますか?」
内山「**これ**は似てるけど、この前の**あれ**とはちょっと違うな」
店員「では、**こちら**でしょうか」
内山「そうそう、**これ**、**これ**。**これ**だよ。この感じ。この前飲んだ**あの**感じとおんなじ!」

「これ」とか「あれ」としか表現のしようのない究極の場所で内山くんと店員は理解し合っているのです。

老婆A「あんた、**あそこ**行った？」
老婆K「**あそこ**ってどこよ」
老婆A「**あそこ**よ」
老婆K「あー、**あそこ**ね」
老婆A「**あそこ**で**あれ**、食べた？」
老婆K「食べたわ。でも、ちょっと甘すぎたわ」
老婆A「**それ**じゃないわよ、**あれ**よ」
老婆K「あら、**あれ**のこと、あたしは**それ**のことかと思ったわ」

それでも、この老婆たちの会話は成立しているのです。私は一九八八年、相模湾を見下ろす「湯河原ゆうゆうの里」の玄関先でAさんとKさんのこの会話を確かに聞いたのです。

「私」も同じです。「私とは誰か」と質問されれば、私という主語の下にはたくさんの述語がつくでしょう。学生である、体重六十キロである、二十歳である、日本人である……。

そして最終的には「私は私である」としか言いようのない究極の場所に行き着くのです。西田は「これはこれである」、「私は私である」と言うときの「これである」「私である」という、もはや絶対に主語になりえない究極の述語、究極の働きのことを「絶対無の場所」と呼びました。

ところで、ハイデガーは「存在」と「存在者」は違うと言いました。存在論的差異でしたね。存在は存在者にはなれない。つまり、「～である」は主語になることができない。あくまで述語（be動詞）として存在者を生み出す働きだ、と。

ということは、西田の「場所」とハイデガーの「存在」は同じ事態を指していませんか？

そうです。「場所」＝「存在」なのです！

少なくとも西田とハイデガーは同じ問題に直面していたと思います。

では絶対無の場所があると言ってよいのでしょうか。もうおわかりですね。絶対無の場所が「ある」とは言えないのです。もし「ある」と言ってしまったら、それは存在者（対象物）の一つに成り下がってしまい、対象を生み出す場所＝働きとは別物になってしまうからです。

私の無の場所というのは、場所という如きものを対象的に考えて、それが有であるとか無であるとかいうのではない。それが有であるとか無であるとかいうように述語すること

は、それを対象的にみることである、かくの如く論じられ得るかぎり、それは私のいわゆる場所ではない。

（前掲書）


絶対無の場所は、有るとも言えるし無いとも言える、有るとは言えないけれど無いとも言えない。おや、どこかで聞いたことのあるフレーズ。そうです。絶対無の場所とは「空」のことだったのです！　ということは、ハイデガーの存在も「空」のことなのです！

自己の根底には絶対無＝空が横たわっている。そしてそのことを自覚すること、即ち「自己とは空である」ということを自覚することが真の自己であると西田は言うのです。

なんだか煙に巻かれた感じですか。理解できたとも言えるが、理解できないとも言える、理解できたとは言えないが、理解できないとも言えない……。

結局、西田はこう考えたんだと思います。

意識することを対象化しようとすると悪無限に陥る。だから、西洋哲学の主客二元論的な認識論では自己は捉えられない。西洋的パラダイムを超えた認識の仕方があるはずだ。それは、「自己」の底に絶対無の場所が横たわっていることを自覚すること。最終的には、「自己」を放棄して「場所」になりきることによって自己を捉えること。自己は「認識」によっては捉えることができず、宗教的な「悟り」によってしか捉えることができない。

このあたり、西田は言葉を尽くして語っていますが、悪戦苦闘しています。実際『場所』という論文の最後で、こんな告白をしています。

以上論じた所は多くの繰り返しの後、遂に十分思う所を言い表すことのできなかったのを遺憾とする、[……]唯、私は知るということを従来の如く知るものと、知られるものの対立から出立する代りに、一層深く判断の包摂的関係から出立して見たいと思うのである。(前掲書)

西洋哲学は「主観・客観」という二項対立から考え始めますが、それらを包み込む包摂関係、即ち「場所」がなければその二項すら成立しないと西田は考えました。その気持ちはよくわかります。しかし絶対無の場所を言語化＝理論化することはそもそも不可能なことなのではないでしょうか。実際、西田は「場所」以外にも「純粋経験」「絶対自由意志」「絶対無の自覚」などと、いろいろな言葉を使っていますが、結局同じところを堂々巡りしているように見えるのです。ここは次章でもう少し掘り下げて考えてみましょう。

■あなたの人生の台本の作者は？——寺山修司『観客席』

西田は自己が自己について問う「自己言及」の問いに直面しました。そして、必死にその答えを言語化しようとしました。一方、寺山修司は、どこまでも質問者であり続けました。彼は演劇で演劇を問う『観客席』（初演一九七八年）という自己言及的な作品＝質問を残しました。

この作品は、次のような場内アナウンスから始まります。

> ただ今より演劇実験室天井桟敷公演『観客席』の開演でございます。お客さまにお願い申し上げます。場内は禁煙となっております。どうして禁煙なのかは、わたくしにもよくわかりませんが、お客さまの御協力をお願いいいたします。なお火災その他、非常の際には係員の誘導にしたがって避難して下さるようにお願いいたします。係員がとり乱して、うまく誘導できない場合には、御自分でお逃げになるようにお願いいいたします。
> 本日の終演時間は、一応八時三十分を予定しておりますが、場合によって長びくこともございますので、頃合を見はからってお帰り下さいませ。
> （寺山修司著『臓器交換序説』ファラオ企画）

冒頭の場内アナウンスによって、現実と虚構を分極化する演劇的儀式は拒まれてしまいます。すでに芝居は始まっているのだろうか——。

舞台はゆっくりと暗くなり、やがて大暗黒に包まれます。すると観客席のあちこちから囁き声が聞こえてきます。その囁き声は次第に大きくなり、やがて観客は観客席に俳優が交じっていることに気がつきます。もしかしたら、隣の席に座っている男性は俳優なのかもしれない。自分は観客なのか、観客を演じさせられている俳優なのか。

俳優と観客との分極化も拒まれてしまいます。そして俳優が観客に語りかけます。

「いいかね、今夜の主役はあんただ」

と一人の俳優が、一人の観客に話しかける。

「前から六列目、右から五番目へ坐ったあんたは、もう個人じゃない。今夜の事件なんだ」

この半ば暴力的な挑発が、演劇実験室天井桟敷の新作『観客席』の冒頭シーンである。もう何十年来、口をきいたことのなかった観客が思わず、

「でも、ここは指定席じゃなく、自由席でしょう?」

と台詞を言ってしまう。

（前掲書）

観客は自分が観客であるということの意味を問い始めます。

やがて、その問いは自分自身に向けられることになります。

子どもが自立し夫が定年退職した妻は、いままでの夫婦の台本が終わったことに気がつきます。しかし、夫はいままでの台本にしがみつき、素知らぬ顔で妻の作る食事を待ち続けています。

かつて主役級の役者として活躍していた男は、現役を引退した後、再び人生の新たな役を求めようとしますが簡単には見つかりません。台本がないのです。

でも大丈夫。日本国家が立派な台本を用意してくれています。


年金を支給しますので、他人の迷惑にならないように「ふつうの老人」として静かに生きてください。いままでできなかった趣味やボランティアに打ち込むのもいいんじゃないですか。とにかく、健康に注意して病気にかからないことです。病気にかからずポックリいけば、周りの人たちからも感謝されますよ。医療費の削減にも貢献できますし……。そうそう、「PPK*」が理想だってみんな言ってますよ。みんな——。

なに、介護が必要になったらどうしたらいいかですって？

大丈夫ですよ。「ケアプラン」という立派な台本を用意してあげますから。台本通り見事に演じきってください。あのおじいちゃん名優だ、なんて褒められるかもしれませんよ。

*ピンピンコロリの略。病気に苦しむことなく、元気に長生きし、最期は寝込まずにコロリと死ぬこと。


人々はやがて、いままでの自分の人生は、誰かによって書かれた台本を演じ続けてきた代理の人生にすぎなかったのではないかと思い始めます。そして、まったく考えてもこなかったある一つの問いに直面します。

私はいったい誰なのか？

第七章　「私」は絶対矛盾的自己同一です

西田幾多郎は、後期に入ると「絶対矛盾的自己同一」という言葉を多用します。このお念仏のような言葉、説明してみろと言われてすぐ答えられる人はなかなかいないでしょうね。

絶対矛盾的自己同一。「自己同一」なのに「絶対矛盾」とはいかに。

自己同一は「A＝A」ということなのだから「無矛盾」でなければ納得できないなあ。そこが難解な哲学用語とお経の似たところ。わかったような、わからないような。すぐ理解できてしまったらありがたみがないということでしょうか。

私たちが生きているこの世界は矛盾に満ちた世界です。矛盾があるということは二つの世界観が衝突して対立し合っているということです。意見の対立もあれば、言い争いもあります。これが「絶対矛盾」の世界です。

一方、この世界の背後には、矛盾を止揚（しよう）（解消）した同一性の世界、対立のない世界が広がっています。こちらは「絶対自己同一」の世界です。

西田は対立のある矛盾した世界のことを「現象の世界」と呼び、対立のない世界を「実在の世界」と呼びました。ハイデガーならこの「実在の世界」のことを「存在の世界」、プラトンなら「イデア界」と呼んだでしょうね。

たとえば、映画を観て感動に打ち震えて涙しているとしましょう。私は映画の世界と一体化した「絶対自己同一」の世界にいます。

そして映画館から出て、人込みの中で足を踏まれる。

「痛いなあ、気をつけろよ」

「混んでるんだからしようがないだろう」

こちらは私と足を踏んだ人間とが矛盾対立する「絶対矛盾」の世界です。

このように私は二つの世界を行き交う存在であり、これを西田は「絶対矛盾的自己同一」と呼んだのです。

絶対自己同一とは主格未分化な純粋経験の世界であり、絶対矛盾は主客分化した客観的な世界です。そのうえで、主客未分化な純粋経験としての絶対自己同一の世界を達観しなさい。おそらく西田はそう言いたかったのではないでしょうか。足を踏まれたら、足を踏まれたのも私であり、足を踏んだのも私であると（ちょっと無理～）。

ところで、「絶対矛盾的自己同一」と聞いて思い出す絵画があります。それは、ルネ・マグリットの「光の帝国」です。その絵は、上半分は青空が広がる昼の世界、下半分は光の灯された家とその光が湖面を照らす夜の世界です。昼と夜という矛盾した世界が一枚の絵の中に同居しています。まさに「絶対矛盾的自己同一」の絵画です。しかし、この絵は西田と違って絶対矛盾的自己同一の世界を肯定しているような気がします。人生なんてこんなもんだよ、くよくよ悩みなさんな。そんな印象を受けます。
さて、ここからは、花咲かじいさん流「絶対矛盾的自己同一」の解釈です。
まずは、鴨長明『方丈記』の冒頭の文章から。

行く川のながれは絶えずして、しかも本の水にあらず。よどみに浮ぶうたかたは、かつ消えかつ結びて久しくとゞまることなし。世の中にある人とすみかと、またかくの如し。

（鴨長明『方丈記』青空文庫）

（訳）河の流れは常に絶える事がなく、しかも流れ行く河の水は移り変って絶間がない。奔流に現われる飛沫（ひまつ）は一瞬も止る事がなく、現れるや直（すぐ）に消えてしまって又新しく現れるのである。世の中の人々の運命や、人々の住家（すみか）の移り変りの激しい事等は丁度河の流れにも譬（たと）えられ、又奔流に現われては消えさる飛沫の様に極めてはかないものである。

（鴨長明著『現代語訳　方丈記』佐藤春夫訳、青空文庫）

川は川です。A＝Aです。ここには何の矛盾もありません。しかし、川の水に目をやってみると一時として同じ水は留まっていません。厳密に言えば、いま見ている川と一秒前に見た川は別の川です。また、濁流の日もあれば、穏やかな流れの日もあります。しかし私たちは、それらを一緒くたにして「川」と呼んでいます。濁流のときは「ガワ！」と呼び、穏やかなとき

は「かわ～」と呼ぶなんてことはありません。川は川です。この同一性は揺らぎません。このように、矛盾した事態が生じているのにもかかわらず、それを「川」という同一概念にまとめ上げて平気でいることを「絶対矛盾的自己同一」と言うのです。

私たちの人生も留まることを知らず絶えず流れています。たとえ喜びがあったとしてもその喜びは束の間のこと。長く続くことはありません。それでも「私は私である」という同一性は保たれています。

昨日の私は晴れやかな気分だったのに、今日の私は悲しみに染まっています。それでも私は私としての同一性を保っています。子どもから大人になるまでいろいろな経験をし、身体も随分変化しますね。それでも同一人物であると確信しています。矛盾することが同時に存在していて、しかも同一性を保っている。これが「絶対矛盾的自己同一」という言葉の意味です。

要するに、「私」とは、そのように矛盾したもの同士が同時に混在しつつ、一つの同一性として水泡のようにかろうじて立ち現れている危うい現象だということなのです。この「かろうじて」というところが重要です。私たちは「私は私である」という同一性を強く確信していますが、実は絶対矛盾を内包している不安定な危うい存在なのです。絶対矛盾が露呈してくれば、精神病とか神経症を発症するかもしれない存在なのです。

なに、あなたの夫婦関係は絶対矛盾的自己同一ですって？　夫婦間に絶対矛盾がある。しかし夫婦としての同一性はかろうじて保っている。かろうじて。なるほど～（汗）。

『方丈記』の川の流れを人生の比喩として考えてみましたが、この川は最終的にどこへ行き着くのでしょうか。それぞれの川は別々であっても、最終的には同じ「海」へ流れ込むのではないでしょうか。

遠藤周作の遺作『深い河』の中に、ガンジーの次のような言葉が引用されています。

> 私はヒンズー教徒として本能的にすべての宗教が多かれ少なかれ真実であると思う。すべての宗教は同じ神から発している。しかしどの宗教も不完全である。なぜならそれらは不完全な人間によって我々に伝えられてきたからだ〔……〕さまざまな宗教があるが、それらはみな同一の地点に集り通ずる様々な道である。同じ目的地に到達する限り、我々がそれぞれ異なった道をたどろうとかまわないではないか
>
> （遠藤周作著『深い河　新装版』講談社文庫）

人は皆それぞれ別々の人生を歩んでいるけれど、最終的には同じところへ到達するのだ。だから、いがみ合うなと。なかなかいい文章ですね。こういう考えを「宗教多元主義」と言います。自らの宗教を絶対化する人には決して受け容れられない考えでしょうね。

さまざまな川（宗教・宗派）が流れていて、一見対立しているようだけれど、その絶対矛盾は最終的には「海」というさらに大きな世界に通じている、支えられている、同一化すると

いったイメージです。これも絶対矛盾的自己同一というイメージでしょう。

では、「私」という絶対矛盾的自己同一はどのように確立されてくるのでしょうか。

■カントVS西田VS花咲かじいさんVSイエス

個別的な経験をする「小文字の自己」がバラバラと存在していて、それらを「大文字の自己」が一つにまとめ上げる。

カントはこのように個別的経験をまとめ上げる力を自己だと考えました。「超越論的統覚」という言葉を使っています。個別的経験をまとめて統合・自覚するといったイメージです。「我思う、ゆえに我あり」とデカルトは言いましたが、カント流に言えば「我様々に経験する。そしてそれらを統覚する我あり」という感じかな。

この考え方はわかりやすいですよね。私も母がアルツハイマーに罹患したことに触れて次のような文章を書いたことがあります。

> たとえば、朝目覚めるときのことを思い出してみる。はじめ、意識はぼんやりとしているが、やがて「私」という中心点に意識がまとまってくるように感じられる。「過去」「現在」「未来」という「時間性」が「私の意識」を起点として開かれてくる。「ここ」「そこ」「あそこ」といった「空間性」が「私の身体」を起点として開かれてくる。そして

「過去の私」と「現在の私」と「未来の私」とが同一人物であるという実感が訪れ、「ここにいる私」と「そこにある物」と「あそこにいる人」という遠近法が実感されてくる。

もしこのような実感がもたらされなければ、「私」という現象は成立しないだろうし、「時間」や「空間」といった現象もまた成立しないのだろう。だから「精神」とは「時間」の別名であり、「身体」とは「空間」の別名なのだ。

では「過去の私」と「現在の私」と「未来の私」を同一人物としてまとめあげる「力」はどこからやってくるのだろう。「ここ」「そこ」「あそこ」と言うように、均質空間に遠近法をもたらす「力」は一体どこからやってくるのだろう。それは、誰にも生まれつき与えられている「生きようと欲する力」とでも呼ぶべきものではないだろうか。その「力」によって、「私は私である」という自己同一性の実感がもたらされるのではないだろうか。

アルツハイマー病の原因は脳の器質的障害だと言われている。しかしそれは、原因と結果を取り違えているのではないか。「生きようと欲する力」の喪失こそ、脳の器質的障害という結果をもたらしているのではないか。

母は「生きようと欲する力」を手放した。いつ？　おそらく私の結婚を機に。その時から母は「時間＝空間＝私」を徐々に喪失し続けていった。ＭＲＩの画像には、その結果として、脳の萎縮が映し出されていたのではないだろうか。

（前掲『アルツハイマーという奇跡』）

ところが、西田はこのような考え方を拒否しました。

なぜなら、はじめに「我」とか「超越論的統覚」といった主体（実体）なんか存在しないからです。自己とはカントが言うような主語的統一ではなく、前章で述べたような、述語的統一だからです。自己とは、「統覚」といった一つの点ではなく、「場所」という一つの円だからです。

カントは、自己とは「主語的統一」であると考え、西田はそれをひっくり返して「述語的統一」だと考えました。主語的統一と述語的統一。どちらに軍配を上げましょうか。

では、花咲かじいさんの出番です。

まず、「私は私である」という命題から出発してみたいと思います。

はじめに出てくる私を「主語的自己」、後に出てくる私を「述語的自己」と呼ぶことにしましょう。

述語的自己は、さまざまな個別的な経験をしている自己です。

ピアノを弾いているのは私です。骨折したのは私です。窓を割ったのは私です。この写真に写っているのは私です。テニスをしているのは私です……。

このような個別的経験を積み重ねていくうちに、不思議なことに、さまざまな経験をしている私が、別々の私ではなく一つの私である、つまり普遍的な私（主語的自己）であるという認識が徐々に成立してくるのです。ここまではカントの超越論的統覚説を受け容れましょう。

ところが、「～しているのは私です」と言うときに、あらかじめ「主語的自己」が成立していなければ、そもそも「〜しているのは私です」と表現できないのではないでしょうか。つまり主語的自己が成立していなければ述語的自己を表現できない。一方で、述語的自己の歴史的反復がなければ主語的自己も表現できない。つまり、互いが互いの前提となっているわけです。

これ、表計算ソフトのエクセルだったら循環参照となって計算が進みませんよ。たとえばエクセルの表のセルA1に「＝A2」を入力し、A2に「＝A1」と入力したとします。すると、A1がA2を参照し、A2がA1を参照し、またA1がA2を参照するといった具合に永遠に繰り返してしまう循環参照となって計算できなくなってしまうのです。

このようなことをするとエクセルでは次のような注意文が表示されます。

「ご注意ください。ブックに循環参照が見つかったため、数式を正しく計算できない可能性があります。参考：循環参照とは計算結果を表示するセルに自身の結果を入れてしまった場合や、その値に依存するセルを入れてしまった数式をいいます。」

ですから、A1に「主語的自己」、A2に「述語的自己」を入力すると両者は循環参照となって計算できないということになるのです。

ということは、「私は私である」という命題はエクセル的に言えば「循環参照」、論理学的に言えば「矛盾」ということになります。

ここで「矛盾」について少しおさらいしておきましょう。まずは、初級編。

「私は嘘つきです」と言う人がいたとします。するとこの人の話す言葉はすべて嘘になるので

「私は嘘つきです」という発言自体も嘘だということになります。ということは「私は嘘つきです」が嘘なのですから「私は嘘つきではない」ということになり、「私は嘘つきです」というはじめの発言と矛盾してしまいます。ここは大丈夫ですね。

次は上級編。

論理学担当の教授が言いました。

「来週の月曜日から金曜日までの五日間、論理学の集中講義を開催することにします。講義の条件は以下のとおりです。

①講義のいずれかの日にテストを行う。

②いつテストを実施するかは、当日にならなければわからない」

すると、ある女子学生が手を挙げて発言しました。

「先生、この抜き打ちテストは絶対にできません」

「ほう、どうしてかね」

「もし、木曜日の講義終了時までにテストが実施されなかったら、金曜の最終講義日にテストが行われるということがわかってしまいます。これでは『いつテストを実施するかは、当日にならなければわからない』という条件に抵触してしまうので、金曜日には絶対テストは実施できません。したがって、テストは月曜日から木曜日までのいずれかに行うことになります。ところが、木曜日にもテストはできません。なぜなら、水曜日の講義終了時までにテストが実施されていなければ、金曜日にテストが実施できないのですから木曜日の講義にテストが行われるということがわかってしまうからです。ですから、テストは月曜日から水曜日までのいずれかに行うということになります。しかし、同様の理由で水曜日も火曜日も月曜日もテストはできません。要するに上記二条件を掲げてしまうと、抜き打ちテストはできないのです。だから、みんな試験勉強をする必要はないですよ」

学生たちは、やんやの喝采。

この女子学生の言い分、皆さんはどう思いますか？

はたして教授は反論できるでしょうか。もちろん、教授はそんな質問は想定済みでした。

教授は、女子学生の質問には答えず、講義が始まりやがて講義最終日の金曜日を迎えました。

すると「これから抜き打ちテストを行います」と宣言したのです。

案の定、例の女子学生が反論してきました。

「先生、今日のテストはできないはずです。なぜなら昨日の講義が終了した時点で、今日テストをすることはわかってしまったからです。『いつテストを実施するかは、当日にならなければわからない』という先生の講義の条件に反していますので、今日のテストは抜き打ちテストにはならず、したがって本日はテストを実施することはできません」

教室はざわめきたちました。

すると教授が静かに女子学生にこう尋ねました。

「君は今日のテスト勉強をやってきたのかね」

「もちろんやっていません。今日のテストはできないわけですから」

「そうか。ほかの皆もそうなのか」

「そーでーす」

全員認めました。

「なるほど。でも、だからこそ今日テストを行うのだよ。君たちは今日テストが行われないと思っていたね。それなら、今日のテストは十分抜き打ちテストになっているじゃないか。では問題用紙を配ります」

さすが論理学の教授です。論理的には金曜日のテストは抜き打ちテストにはなりません。しかし「抜き打ち」というのは、人が思っていることの裏をかくということですから、皆がテストはできないと思っていたのなら、その裏をかいてテストすることは十分抜き打ちテストになっているのです。

そしてこの話、後日談があるのです。

この女子学生は教授の論理に感服して教授のゼミを取ることになりました。

ある日、教授は女子学生にこう言いました。

「先生は、君の唇に一切触れずにキスすることができるよ」

「先生、それはさすがに不可能です。キスをするということは唇と唇を接触させるということですから、相手に触れることなくキスをするというのは論理矛盾です。絶対にできません」

「いや、それが論理的にできるんだよ。私は論理学の教授だよ」

「いくら論理学の教授だからといっても、そんなことはできません！」

「よし、じゃ賭けてみるかい。もし、できなかったらぼくは君に一ドル払おう」

「いいですよ。絶対にできないんですから」

チュッ！

「先生、やっぱり私の唇に触れたじゃないですか」

「うーーん。先生の負けだ。一ドル払おう」
＊このあたりの話に興味のある方は、高橋昌一郎『ゲーデルの哲学』（講談社現代新書）をお読みください。

この女子学生、教授が「一ドル」と言った時点で気がつかなきゃね。

ちょっと横道にそれてしまいましたが、要するに、「私は私である」というのも矛盾しているのです。

「主語的自己」は「述語的自己」を前提としています。一方、「述語的自己」も「主語的自己」を前提としています。互いに互いを前提とし合っています。これは、メビウスの輪を思い起こしませんか。

メビウスの輪とは、帯状の長方形の片方の端を百八十度ひねって、他方の端に貼り合わせた図形のことです。メビウスの輪は表と裏がつながっています。表からスタートしてまっすぐ一周しようとしても、いつの間にか裏にいるのです。もう一度一周すると表に戻ります。表と裏の区別をつけられない不思議な図形です。

主語的自己と述語的自己も互いが互いに依存しているので、メビウスの輪のような関係です。ということで、自己とは、カントの言うような主語的統一（超越論的統覚）でもなく、また西田の言うような述語的統一（絶対無の場所）でもなく、主語的自己と述語的自己がメビウスの輪のように反転し続ける「メビウス的関係」である。これを花咲かじいさんの結論としたいのですが、内山くん、どうでしょう。

カントの「主語的統一」にしても、西田の「述語的統一」にしても、花咲かじいさんの「メビウス的関係」にしても「働き」という点では同じじゃないの？　その働きを論理や言葉で捉えようとすると、結局言葉遊びになっちゃうんじゃないかね。

なるほど。それでは、もう一人登場してもらいましょう。イエス・キリストです。

イエスの生きた時代には「神の国とは何か」と律法学者が難しい神学的議論を戦わせていました。現代だったらさしずめ「自己とは何か」という哲学的な議論に匹敵するでしょうね。

で、イエスはなんと答えたでしょうか。

また、イエスは言われた。「神の国は次のようなものである。人が土に種を蒔いて、夜昼、寝起きしているうちに、種は芽を出して成長するが、どうしてそうなるのか、その人は知らない。土はひとりでに実を結ばせるのであり、まず茎、次に穂、そしてその穂には豊かな実ができる。」

（前掲『聖書』「マルコによる福音書」4章26－28節）

律法学者はいろいろ難しいことを言ってるようだけど、君が何もしないでただ寝起きしているだけなのに、蒔いた種はいつの間にか芽を出して実を結ばせているだろう。そのことに驚かないで「神の国とは何か」などと抽象的な議論をしていても駄目なんだよ。種は芽吹いて実を結ぶ。そういう働きの中に神の奇跡を見ることが大切なんだ。そうイエスは言っているわけです。

自己だって同じです。「自己とは何か」などと小難しいことは考えず、「自分という奇跡」を素直に信じて、君の中にある種を育てて君らしい信仰の花を咲かせなさい。おそらくイエスならそう言うでしょうね。こちらは、イエス流花咲かじいさんです。

皆さんはどの考えがしっくりきますか？

■我と汝

このようにしていったん「主語的自己」が出来上がってしまうと、もう誰もその不可思議さ＝奇跡については考えなくなります。もちろん、それは社会人として生きていくためには、とても正しいことなのですが……。

では、そういう不安定な私が他者と出会うとはどういうことなのでしょう。「昨日の私」と「今日の私」は別々の私です。私の中にも他者がいるのです。「今日の私」にとって「昨日の私」は他者ということができます。でも、「今日の私」と「昨日の私」はつながっていますね。私はいつでも昨日の私を思い出すことができますし、理解することができます。しかし本物の他者とは直接つながることができないのではないでしょうか。他者が何を考えているのか、私にはほんとうのところはわからないからです。

> 私は現在何を考え、何を思うかを知るのみならず、昨日何を考え、何を思うたかをも直ぐに想起することができる。昨日の我と今日の我とは直接に結合すると考えられるのである。これに反し、私は他人が何を考え、何を思うかを知ることはできない。
>
> （前掲『西田幾多郎哲学論集I　場所・私と汝 他六篇』）

「昨日の私」と「今日の私」の間には連続性があります。ここが連続していないと、人と約束もできませんからね。しかし私と私の目の前にいるあなたとは連続性がありません。絶対的に断絶しています。あなたは私にとって絶対的他者なのです。

ではどのようにして私は絶対的他者であるあなたと出会うことができるのでしょうか。

絶対矛盾的自己同一としての「私」は、不安定すぎてそれ自身では自己同一性を保つことができません。矛盾を抱えているわけですから。ではどうすればよいか。実は、同じように絶対矛盾的自己同一を抱えている「あなた」によって承認してもらうのです。あなたが私を承認することによって初めて私は私として存在できる。と同時に、私があなたを承認することによって、あなたもあなたとして初めて存在できる。私とあなたとは互いに承認し合う関係なのです。これも「循環参照」であり「メビウス的関係」です。主語的自己と述語的自己という主観内部で起こっていることが、自己と他者との間でも起こっているのです。

自己と他者は同時に発生するのです。自己を認識することと他者を認識することは同時発生的なのです。

私と汝とは絶対に他なるものである。私と汝とを包摂する何らかの一般者もない。しかし私は汝を認めることによって私であり、汝は私を認めることによって汝である、私の底に汝があり、汝の底に私がある、私は私の底を通じて汝へ、汝は汝の底を通じて私へ結合するのである。絶対に他なるが故に内的に結合するのである。

（前掲書）

私とあなたは直接出会うことはできません。先生、生徒、父親、子ども、友人といった社会的役割としての仮面をつけなければ出会うことはできないのです。

でも、ほんとうにそうでしょうか。いろいろな仮面をつけた私の奥に「ほんとうの私」が隠されているのではないでしょうか。「自分探し」なんて流行ってるしね。

でも、自己にまとわりついた仮面を次々に剥ぎ取り続けていっても何も残りません。タマネギのようなものです。「ほんとうの私」というのは、さまざまな条件や属性（父親、作曲家、日本人、一九五五年生まれ、男）を剥ぎ取ったときに残る私のことですよね。でも、そんな私を想像できますか。まったく内容のない純粋な形式としての私。実は、これが「ほんとうの私」のほんとうの姿なのです。そんな「形式としての私」が他者と出会ったり理解し合ったりすることなどできるはずはありません。だからこそ、仮面をつけてあなたと出会うのです。仮面を媒介にしてしか私はあなたと出会うことができない。あなたが教師なら教師の仮面を、日本人なら日本人の仮面を、親なら親の仮面を、武士の仮面を、江戸時代に武士として生まれれば、イスラム教徒ならイスラム教徒の仮面を通して初めてあなたと出会うことができるのです。

こうして、私とあなたは仮面をつけて、互いに認め合うことによって、つまり場所を共有することによって初めてコミュニケーションができるのです。ところが西田先生、その後でちょっと奇妙なことを言うんです。

かかる意味において絶対の他と考えられるものは、私を殺すという意味を有っているとともに、我々の自己は自己自身の底にかかる絶対の他を見ることによって自己であるという意味において、それは私を生むものでなければならない。

（前掲書）

汝は我を殺すと同時に我を生むものであると言うのです。

これは、あらかじめ我と汝がいて、その後に出会いがあるのではなく、出会いの瞬間、我は汝に殺されることによって汝を生かし、汝を殺すことによって我を生かすという自己争奪戦が行われているということです。その自己争奪戦の反復の果てに我と汝の領域が確定されるのです。

するといい「自己争奪戦？　人と会うとき、そんな戦いをしている感じはないけどね」と内山くん。

もちろん、ふつうの出会いでは自己争奪戦なんて感じはないでしょう。すでに獲得してしまった自己が互いに仮面をつけて出会っているだけですから。でも、西田が言っているのはすでに出来上がってしまった「自己と他者」のことではなく、自己と他者が発生する前の「我と汝」のことなのです。自他分化する前に行われる自己争奪戦という名の純粋経験のことなのです。

この自己争奪戦が最も激しいのは思春期だと思います。発達心理学でも青年期の心理的課題は「自己同一性」だと言われていますが、実際、自己の獲得に失敗して対人恐怖症になる人は思春期に多いと言われています。しかし、いったん自己を獲得してしまうと、その経緯は忘れてしまい、対人関係はもはや自己争奪戦というより一種のゲームのような感覚になってしまうのです。
ふつう歩いているときに足の動きなんていちいち意識しませんよね。でも、足を痛めたときには意識するでしょ。同じように、自己争奪戦も普段の対人関係ではほとんど意識しませんが、特別な状況下に置かれると意識するのではないでしょうか。
たとえば、披露宴でスピーチするとき。重要な取引先へプレゼンするとき。そんなとき、思春期に自己争奪戦をしていたことを思い出しませんか。

なるほど。ぼくの場合、見ず知らずの人と話すときに自己争奪戦という感じはほとんどないし、思春期に自己争奪戦した記憶もないけれど、この前、白鳥くんの仕事仲間と会う機会があって、打ち合わせの後に飲みに行こうと誘われたじゃない。あのとき、少し抵抗感があったんだよ。ほとんど初対面の人ばかりだったし、共通の話題もなさそうだし、正直言って、こんな人たちと酒飲んだらぼくの居場所がないんじゃないかと感じてたんだ。そのときの感覚が「自己争奪戦」と言えるかもしれないな。

内山くんは、物おじしない性格だから特に「自己争奪戦」なんか感じないんだろうね。でもぼくなんか、幼児期の「人見知り」なんて、自己争奪戦を前にした不安の現れだと思うし、内気、恥ずかしがり屋といった性格も自己争奪戦の後遺症じゃないかという気がするけどね。

要するに「私」とは他者と出会ったときに自ら奪い取った「領域」のことなのです。その領域の奪い取り方のクセのようなものが「性格」と呼ばれている。だから、対人場面では意識レベルの差はあれど、誰でも自己争奪戦を行っており、自己はその都度獲得されているのです。ただ、自己がいったん確立されてしまうと、自己争奪戦とは感じにくくなるし、他者とは関係なしに「自分」が存在していると思い込んでしまうという話なのです。

デカルトは、その都度成立する「自己」を論点先取して「我あり」なんて言って「自己」を実体化して認識の根本に置いてしまったけれど、対人恐怖症の人なら「我あり」がいかに大変な作業を伴って成立するものであるかと反論したくなるでしょうね。しかし、デカルトも思わず「その都度」という意味に近い言葉を使っている箇所があるんです。

かくして私は、すべてのことを存分に、あますところなく考えつくしたあげく、最後にこう結論せざるをえない。「私はある、私は存在する」というこの命題は、私がこれを言い表すたびごとに、あるいは精神によってとらえるたびごとに、必然的に真である、と。

（デカルト著『省察 情念論』井上庄七・森啓、野田又夫訳、中公クラシックス）

「言い表すたびごとに」とか「精神によってとらえるたびごとに」というのは、まさに「自己」が「その都度」発生していること、自己争奪戦のたびごとに発生していることをデカルト

自身、認めているということではありませんか！

その都度、言い表したり、精神によって捉えようとしない限り「自己」は存在しえないのです。ここは、デカルトが西田に非常に接近したところだと思います。でも、その後、デカルトは西田から大きく離れていきます。

■私とは身体？　それとも心？──大林宣彦『転校生』

大林宣彦監督の「転校生」という映画（原作：山中恒）ご存知ですか。

広島県尾道市の美しい風景が白黒の八ミリビデオで映し出されるところから始まる魅力的な映画ですが、この映画、「私」ということについて深く考えさせてくれます。

尾道の高校に転校してきた一夫（尾美としのり）は、偶然クラスで幼馴染みの一美（小林聡美）と再会します。懐かしくなって二人はお寺の境内をしばらく散策しますが、足が滑って二人とも階段から転がり落ちてしまいます。気がつくと、なんと二人の身体が入れ替わっているではありませんか。一夫の身体には一美の心が、一美の身体には一夫の心が入ってしまったのです。いや、一夫の心が一美の身体に、一美の心が一夫の身体に入ったと言うべきでしょうか。どちらも同じことを言っているようですが、よーく考えてみてください。実は決定的な違いがあるのです。

周囲の人たちは、身体を基準にして考えますから、一夫も一美も身体は異常ないのに心がおかしくなったと考えます。しかし本人たちは、心を基準に考えますから、心は正常なのに身体がおかしくなったと感じるわけです。

で、「転校生」では、二人は諦めて、それぞれ身体を基準に考え、一美の身体は一美の家へ、一夫の身体は一夫の家に帰ることにしました。この判断は正しかったと思います。もしこのとき二人が、心を基準に考え、一美の身体が一夫の家へ、一夫の身体が一美の家に帰っていたら大変なことになっていたでしょうね。それぞれが自分であることを懸命に主張するでしょうが、両親は驚いて病院へ連れて行くでしょう。そしておそらく医者は、「身体はどこも異常がありません。心の異常が疑われるので精神科を受診してください」と言うのではないでしょうか。

■変身したのは誰？――フランツ・カフカ『変身』

ところで、この映画を観ていて、フランツ・カフカの『変身』という小説を思い出しました。二十世紀を代表する不条理小説です。その冒頭の一節。

> ある朝、グレーゴル・ザムザがなにか気がかりな夢から目をさますと、自分が寝床の中で一匹の巨大な虫に変っているのを発見した。
>
> （フランツ・カフカ著『変身』高橋義孝訳、新潮文庫）

もし、朝目覚めたとき、あなたが「巨大な虫」に変身していたらどうします？　恐いですね。このなんとも不条理な出来事からこの小説は始まります。でも変身した姿が巨大な虫ではなく、かわいらしい子犬や猫だったらどうでしょう。全然違った小説になっていたと思いませんか。

夏目漱石の『吾輩は猫である』だって『吾輩はゴキブリである』だったら全然別の小説になっていたでしょう。猫なら感情移入できるけれど、ゴキブリではね。

『吾輩はゴキブリである』、書いてみましょうか。

吾輩はゴキブリである。名前はまだない。どこで生まれたかとんと見当がつかぬ。吾輩はここではじめて人間というものを見た。ただし人間は吾輩が大嫌いらしい。吾輩を見るとヒステリックになり、殺人鬼に変身する。好き嫌いはあってもよいが、なにも殺すことはないではないか。吾輩は何人もの友だちを亡くしてしまった。いままでスプレー攻撃はなんとかかわしてきたが、最近「ゴキブリホイホイ」という最新兵器が仕掛けられた……

うん。確かに面白そうだ。このパロディ小説を書くのは老後の楽しみにしておこう。

『変身』の中の巨大な虫の「虫」という単語は、ドイツ語ではネズミ、ゴキブリ、ノミ、シラミといった有害小動物を指す言葉で、「役に立たない」という形容詞から転じた言葉だそうです。つまり、この巨大な虫は、家族の中の「役に立たない」厄介者のメタファー（隠喩）なんですよ。たとえば、アルツハイマーに罹患した老人とか、障がいのある子どもとか、ひきこもりの青年とか、寝たきりの老人とか、定年退職した夫とか……。

巨大な虫に変身した息子は、いままでは家族のために一生懸命家計を支えてきたのに、虫に変身してしまうと、家族から疎まれ始め、拒絶され、居場所がなくなります。そして、あるとき父親から投げつけられたリンゴが背中に食い込み、その傷がもとで衰弱し、やがて死んでしまいます。

息子の死後、家族は安堵とともに清々しい気分になり、ピクニックに出かけます。そして、前向きに明るく生きていこうという希望あふれるシーンで終わります。息子が死んでくれて、やれやれといった感じなんです。なんとも後味の悪い小説です。

でも、巨大な虫に変身するということは、急に大病を患ったり、災害に見舞われたり、会社をクビになったり、事故で身障者になったりすることの比喩だと考えれば、人生では多かれ少なかれ、よくある不幸の一つでしょう。だから、このこと自体が不条理なのではなく、そのような不幸に見舞われた当人の家族の変身ぶりこそが、不条理なんだという話だと私は思いますね。

変身したのは息子ではなく、家族なのです。この小説、見事に家族の変身ぶりを描いた小説なのです。だからほんとうはこの小説、徐々に家族が虫か怪物に変身するようなストーリー仕立てにしたらもっと面白くなったんじゃないかな。

ということで、『変身』という小説の中で変身したのは息子ではなく実は家族であった。これ、花咲かじいさんの新解釈としておきましょう。

『変身』は二十世紀を代表する不条理小説。でも、私は「転校生」のほうがずっと優れた作品だと思いますよ。思春期の男の子と女の子が入れ替わるなんて奇想天外だし、男と女の問題、精神と身体の問題などたくさんの問題をはらんでいて、ユーモアもたっぷりあるし、『変身』なんかよりずっと奥が深いと思います。

■さよならオレ、さよなら私

子どもを育てていると、幼稚園のころが一番かわいかったなと思います。

「父ちゃん、戦いやろう！」「よーし、今度は負けないぞ」なんてね。

でも、そのころの無邪気な子どもは、時間の経過とともにいつの間にかいなくなってしまいます。「私」は気がつかないうちにどんどん入れ替わっているのです。しかし、入れ替わっても、入れ替わっても変わらないもの。それは私という一点から世界が開けているという事実に他なりません。それは記憶にも歴史にも空間にも汚染されていない「私」という純粋な内容なき形式です。どこにあるのかと問われても内容がないのだから答えることすらできません。

私とは何か。この問いに、「私とは、ある一点から世界が開けている内容なき形式である」と答えてみたい気がします。内山くん、どうですか？

内容なき形式ねえ。ちょっとイメージしにくいね。パソコンを例にした方がわかりやすいんじゃない？　つまり、ハードウエアが「身体」、ＯＳが「魂」、アプリが人間の具体的な「役割」と考えれば、白鳥くんの言う「内容なき形式」というのは、「アプリなきＯＳ」、つまり「魂」そのものってことじゃないかな。でも、「ＯＳ」にもウィンドウズやマックがあるように、「魂」にもそれぞれの性格があると思う。

「一点から世界が開けている」という点に関しては、ぼくも小さいころから感じていてね。「私」というこの一点から世界が広がっていること自体が不思議だったんだ。だって人類の数だけ世界があるってことでしょ。いまこの瞬間に、見えている世界が人類の数だけあるなんて不思議だよ。どこかに客観的な世界があるわけじゃない。神の視点に立てば世界は一つと言えるかもしれないけれど、そんな視点をぼくらはもっていないわけだから、いま見えている世界が人類の数だけ、ただただ無数に存在していることになる。それって、不思議なことだと思うな。子どものころからずっと不思議だと思ってた。

それから、飛行機に乗って乗客がみんな同じ方向を向いて座っているのがおかしくってしょうがないときがあったんだ。これって、多分、飛行機という密室の中でみんな同じ方向を向いて同じ姿勢をしていることが滑稽だという感じなんだけど、乗客の数だけみんな前を向いて、同じような世界を見ているということの滑稽さもあるんじゃないかな。わかってもらえるかなあ。

うーむ。よくわからないけど、内山くんらしくて面白いよ。それから、パソコンの喩えはわかりやすいね。ＯＳなくしてアプリなし。アプリなくしてＯＳなし。
西田が生きていたら「自己とはオペレーティングシステムである」と言ったかもね。
結局「転校生」という映画では、本人たちはハードウエアが入れ替わったと思ってるけど、周りの人たちは、ＯＳとアプリが入れ替わったと感じてるわけですね。

一夫「**私ね、もうすぐ生理なの**」
一美「**えっ！　じゃ、このオレが生理になっちゃうのか**」
一夫「**そうよ、何でもないって顔してなきゃだめよ**」
一美「**オレ、どうすりゃいいんだよ**」

その後もいろいろな事件が起こりますが、最終的に一夫と一美はなんとか以前と同じように心身が一致した状態に戻ります。そして一夫は再び転校することになります。一夫が引っ越しのトラックに乗っています。ラストシーンの感動的な場面です。

一夫「**さよなら、オレ**」

一美「さよなら、私」

私たちもたくさんの「私」と「さよなら」してきたのではないでしょうか。

第八章

ニーチェの哲学――山田太一さんの脚本で読み解く

はじめに、ニーチェから読者の皆さんへのメッセージを紹介します。


私が皆さんに一番言いたいことは、人間は高貴に生きるべきであるということです。

それでは、「高貴に生きる」とはいったいどういうことなのか。

たとえば、現在の政治状況に対して、うんざりしている人は多いのではないでしょうか。「政治なんてどうでもいいや」と思っている人は結構いるはずです。でも、私に言わせればそれは非常に正しいことなのです。

そんなものに正面からかかわっていてはいけません。上から見下ろしてバカにしていればいいのです。もっともらしい難しい顔をして、「真理は役に立つのだろうか」とか「真理は災いになるのではないか」などと考えていてはダメなのです。それは本当の問題ではありません。

考えることをためらってしまうような問題を愛すること。

「そんなことは考えてはいけないよ」と言われるようなことをしっかり考えること。

そっちの方がよっぽど大切です。

一人ぼっちになって迷路の中を進んでいくこと。

新しい音楽を聞き分けることのできる耳を持つこと。

身の回りだけでなく遠くまで見渡すことのできる眼を持つこと。

そして、これまで隠されてきた本当の問題に対して、すなおな気持ちで向かい合うこと。

そういったことが一番大切だと私は思っています。

このようなすべての力のことを、私は「意志の力」と呼んでいます。皆さんには、この「意志の力」をいつも持っていてほしいのです。そして、「意志の力」を持つ自分をうやまい、愛し、誇りに思ってほしい。

私はこのような人のために、本書を書き上げました。そうでない人は、残念ながら私とは関係のない、単なる人類にすぎません。私は単なる人類と人は違うものだと考えています。力によって、魂の高さによって、人は単なる人類であることを超えなければならないのです。

そのためには皆さんは、くだらないものはくだらないと、はっきり軽蔑するべきなのです。

（F・W・ニーチェ著『キリスト教は邪教です！　現代語訳『アンチクリスト』』適菜収訳、講談社＋α新書）


「単なる人類」とはすごい言葉ですね。西尾幹二訳では最後の部分はこう訳されています。

以上でよろしい！　こうした人たちだけが私の読者、私にふさわしい読者、私に予定された読者である。あとの人たちに何の関わりがあろう。——残っているのは、たかだか人類にすぎない。——諸君は、人類を超えてしまわなければならないのだ、力によって、魂の高さによって、——侮辱によって……

（F・W・ニーチェ著『偶像の黄昏　アンチクリスト』西尾幹二訳、白水社）


こちらは「たかだか人類」です。これはハイデガーの「世人」に通じるものですが、「たかだか人類」にしても「単なる人類」にしてももっと言葉としてはもっと強烈です。そんな「人類」を「意志の力」によって超えてゆけ、魂をいつも高く保ち、自分を敬い、愛し、誇りに思え！

ここには、ニーチェ哲学の特徴がよく表れていると思います。

ニーチェはこの「意志の力」を抑圧するものとして「キリスト教」を徹底的に批判しました。日本人の私たちにはちょっと実感しにくいのですが、ニーチェにとってキリスト教は、数ある宗教の中の一つという以上に、ヨーロッパ全体を支配する、あるいは抑圧する巨大なシステムとして立ちはだかっていたのです。

では、一体キリスト教のどこに問題があるというのでしょうか。


——心の貧しい人々は、幸いである、／天の国はその人たちのものである。——

悲しむ人々は、幸いである、／その人たちは慰められる。[……]
義に飢え渇く人々は、幸いである、／その人たちは満たされる。
（前掲『聖書』「マタイによる福音書」５章３―６節）

これは『新約聖書』の「山上の垂訓」と呼ばれる有名な箇所ですが、ここには徹底的な価値の転倒が見られます。貧しい人、悲しんでいる人、迫害されている人こそ幸福だと言うのですから。

ここで何が行われようとしているのかというと、弱者である事実はそのままにして、神を後ろ盾にすることによって、弱者こそ「幸いである」と言って強者を引きずり降ろそうとしているのです。

たとえば、「悪人に手向かってはならない。だれかがあなたの右の頬を打つなら、左の頬をも向けなさい」（前掲書「マタイによる福音書」５章39節）という教えがあります。聞いたことありますよね。それは一見現実を受け容れる穏やかな受け身の道徳観のようです。しかし、「右の頬を打たれたら歯向かわずに黙っていなさい」と言っているのではありませんよ。まだ打たれていない左の頬を差し出せと言っているのです。あえて差し出すことによって、私たちはあなた方とは違う価値観で生きているのだということを相手に誇示し、挑発しているのです。そして、その逆転した世界観の中で弱者を弱者のまま強者へと仕立て上げるのです。しかもこの作業は無意識のうちに行われているから質が悪いのです。
この心理的傾向はどんどんエスカレートしていきます。イエスの言葉です。

> しかし、わたしの言葉を聞いているあなたがたに言っておく。敵を愛し、あなたがたを憎む者に親切にしなさい。悪口を言う者に祝福を祈り、あなたがたを侮辱する者のために祈りなさい。あなたの頬を打つ者には、もう一方の頬をも向けなさい。上着を奪い取る者には、下着をも拒んではならない。求める者には、だれにでも与えなさい。あなたの持ち物を奪う者から取り返そうとしてはならない。
>
> （前掲書、「ルカによる福音書」6章27－30節）

ここまでくれば、弱者の「ルサンチマン（怨念）」は最高潮に煽られます。この弱者の「ルサンチマン」を巧みに利用して、キリスト教は価値観の大転倒をはかるのです。そして現状を肯定したまま勝利しようとするのだとニーチェは指摘します。これはイエスの言葉を極限まで捻じ曲げるキリスト教の無意識的心理傾向です。これに対してニーチェは、人間には、より強く、より高く、より深いものを求めていこうとする「力への意志」があり、それを開花させることこそ善であり、幸福なのだと考えます。ちょっと西田幾多郎に通じるところがあります。

自分の欲望を誠実に行動に移すこと。弱者なら強者になるように努力すること、迫害されているなら迫害を克服するように努力すること、そのような者こそ高貴な人間であり、強い人間であり、「よい」という言葉の起源であると言うのです。

反対に自分の欲望や感情を抑圧し、内的な価値観を転倒するだけで現状を打破しようとしない者は卑（いや）しい人間であり、弱い人間であり、「わるい」という言葉の起源であると言います。

ニーチェは、キリスト教の価値観の背後に隠されているこの無意識的欺瞞性に敏感に反応したのです。

貧しい者がさいわいだって？　嘘つくなよ。正直に貧しさから脱したいと言えよ。そしてそのように努力してみろよ。そう言うわけです。

一方で、ニーチェは真のキリスト教徒はたった一人しかいなかったと言っています。誰でしょうか。パウロなんかではありませんよ。

――つき詰めていけば、キリスト教徒はただ一人しかいなかった。そしてその人は十字架につけられて死んだのだ。「福音」は十字架上で死んだのだ。この一刻を境にして、以後「福音」と呼ばれたものは、すでに、この人物が身をもって生きたものの反対物であった。[……] ひとえにキリスト教的実行、十字架で死んだ人が身をもって生きたような生活のみが、キリスト教的なのだ。

（前掲『偶像の黄昏　アンチクリスト』）

イエスこそ真のキリスト教徒だと言うのです。ニーチェは単純なアンチクリストではありません。彼はイエスの「行い」を肯定し、その後に続く伝道者たちの口先ばかりの「説教」を否定したのです。イエスは十字架に磔にされることによって愛を示しましたが、イエスの後に続く伝道者たちは口先だけで愛を説き、イエスの行いの革命性を骨抜きにしてしまったと言うのです。

ニーチェにとって、善とは何か、悪とは何か、幸福とは何か。それは極めて明快なことです。

善とは何か？——権力の感情を、権力への意志を、人間のうちにある権力そのものを高めるいっさいのもの。

悪とは何か？——弱さに由来するいっさいのもの。

幸福とは何か？——権力がしだいに大きくなる感情——抵抗を克服してゆく感情。

（前掲書）

自らの力を高めていくことこそ強さであり、善であり、それを抑圧することは弱さであり、悪なのです。

さらに、キリスト教の聖職者たちは弱者の耳元でこう囁きます。

「あなたたちは、ほんとうは生まれたときから罪人なのです。でも心配はいりません。イエス様というお方が、あなた方の罪のために十字架の上で死んでくださったからです」

　このように囁かれた人は、心の中に一種の負い目を抱くことになりませんか？　いつの間にか、自分自身を卑しい人間、疚(やま)しい人間だと思い込むようになりませんか？　こうしてキリスト教は、その負債感情を利用して、弱者を一方的な債務者に仕立て上げ、弱者支配を行ってきたと言うのです。


　あなたが道を歩いているとある人に呼び止められました。

「実はあなたの親戚が莫大な借金をしていましてね。あなたは連帯保証人ですから、その負債を背負っているんですよ」

「えっ！　ほんとですか。困ったなあ……」

「でも、心配いりません。あるお方が命と引き換えにあなたの借金をチャラにしてくれたのです」

「そりゃあ、ありがたい。でもその方は、なぜ私のために命まで犠牲にしたのですか」

「それはあなたへの愛からですよ。だから、そのお方のために一緒にお祈りしましょう」

　こう言われたらどう思いますか？　これこそキリスト教信仰の神学的基盤なのです。しかし、このような設問自体が、クリスチャンの方を大変不愉快な思いにさせることでしょう。しかも、さらに追い打ちをかけるように、衝撃的な言葉が続きます。

　この言葉でニーチェはクリスチャンのみならず、多くのファンをも失うことになります。

それでも「ニーチェが好き」なんて言っている人もいますが……。

> 弱者と出来損いは亡びるべし、——これはわれわれの人間愛の第一命題。彼らの滅亡に手を貸すことは、さらにわれわれの義務である。
> およそ悪徳よりも有害なものは何か？——すべての出来損い的人間と弱者に対する同情的行為——キリスト教……
> （前掲書）

これがネットにのったらきっと大炎上することでしょうね。ここには、弱者やマイノリティーに対する徹底的な差別感情があります。内山くんもニーチェは自己中心的で弱肉強食的な臭いがして嫌いだと言います。でもここはニーチェが洗礼を受けたクリスチャンだったことに免じ、もうしばらくおつき合いください。

山田太一さんの作品に『早春スケッチブック』（一九八三年）というドラマがあります。実はこのドラマ、どんなニーチェ論よりも優れたニーチェ論になっています。まるでニーチェが出演して台詞を語っているかのようです。ですからこのドラマの台詞を理解すれば、そのままニーチェを理解できるのです。私の解説なんていらないくらい素晴らしい台詞です。とりあえず、ニーチェ批判は後回しにして、このドラマの台詞を通してニーチェの哲学を繙いてみましょう。まず、ドラマのあらすじです。

平凡なサラリーマン家族の望月家。夫の省一は信用金庫の課長で妻の都とは十年前に再婚しました。息子の和彦は都の連れ子で、娘の良子は省一の連れ子でした。和彦は高校三年生。国立の一流大学を目指すくらいの秀才で入学試験を控えていました。娘の良子は中学校一年生。まだあどけなさの残る少女です。そこには平凡でささやかな幸福がありました。

ある日、和彦の前に突如謎の女が現われ、無理やりある男と引き合わされます。和彦にはその男の素性は明かされませんが、実は和彦の実の父親で、元カメラマンの沢田竜彦でした。沢田は都と結婚せず、和彦が生まれる前に逃げ出して自由奔放な生き方をしてきました。沢田は和彦に対して「お前らは、骨の髄まで、ありきたりだ」と和彦たちの生き方を痛烈に批判します。

ある日、沢田は突然、望月家を訪問します。都に会いたいというのです。

望月家は全員拒否反応を示します。しかし沢田は重い病気に冒されていて、余命いくばくもありませんでした。やがて、望月家の人々はいままでの価値観を根本から問い直され始めます。はじめは頑なに沢田を拒否していた望月家の人たちの心は徐々に開かれていきます。家族とは何なのか。死とは何なのか。人生とはいったい何なのか……。

沢田（竜彦）の世話をしている明美という女が無理やり、和彦を彼に会わせるところからドラマは始まります。沢田を実父とは知らない和彦は、はじめは彼の「お前らは、骨の髄まで、ありきたりだ」という言葉に反発していますが、次第に心動かされていきます。

竜彦「高校生だから酒をのみません、女房がいるから他の女とは寝ません、立小便はしません、満員電車では屁はたれません」
和彦「――」
竜彦「そんなことは、みんな、くだらないことだ。守る値打ちはねえ。しかしな、そういう、小っちゃなことで、自分を押さえる訓練をしておくことは、絶対に必要だ。そういう訓練をしなかった奴は、肝心な時にも自分をおさえることが出来ねえ。これだけは、いっちゃあいけねえなんてことも、しゃべっちまう。しゃべらないまでも、顔に出ちまう。そういう、安っぽい人間になっちまう」
和彦「（うなずく）」
竜彦「毎日、自分をおさえる訓練をしなきゃいけない。自分をおさえる。我慢をする。すると、魂に力が貯えられてくる。映画が見たい。一本我慢する。二本我慢する。三本我慢する。四本目に、これだけは見ようと思う。見る。そりゃあんた、見る力がちがう。見たい映画全部見た奴とは、集中力がちがう」

和彦「(うなずく)」
竜彦「そういう力を貯えなきゃあいけない。好きなように、やりたいようにしてちゃあ、
　　そういう力は、なくなっちまう」
和彦「(うなずく)」
竜彦「しかしだ。それにはあんた限度ってェものがある。見たい映画を三本我慢し四本
　　我慢し六本七本八本我慢してるうちに、別に見たくなくなっちまう。なにが見た
　　いんだか分らなくなっちまう。欲望が消えちまう。それじゃああんた、力を貯え
　　ることになりゃあしねえ。力を、生命力を、むしろつぶしちまうことになる」
和彦「(うなずく)」
竜彦「我慢をしすぎて、力をつぶしちゃあいけねえ。自分の中の、生きる力をな」
(山田太一著『早春スケッチブック　山田太一セレクション』里山社)

これはニーチェの「力への意志」の解説そのものです。この生きる力をどこまで高めることができるのか、それが生きるということなのです。しかし、世の中にはその力を抑圧する力がいたるところで働いています。学校の中で、職場の中で、家庭の中で、あなたの心の中で……。だから、若いときに抱いていたロマンティシズムの光は、細々とでも燃やし続けなければならない。それが「生きる力」を育てるということです。ところが、そのロマンティシズムの光

はいつの間にか消え失せてしまう。せっかく社会の重荷から解放されたというのに、そのときはもう何をやったらいいかわからないし、気力もなくなっている。できることは、せめて「ふつうの老人」になることしかなくなってしまうのです。

沢田は続けて言います。

竜彦「生きるってことは、自分の中の、死んで行くものを、くいとめるってこったよ。気を許しゃあ、すぐ魂も死んで行く。筋肉もほろんで行く。脳髄もおとろえる。なにかを感じる力、人の不幸に涙を流す、なんてェ能力もおとろえちまう。それを、あの手この手をつかって、くいとめることよ。それが生きるってことよ」

（前掲書）

人間には、生物学的身体とは別に観念的身体があります。しかし、社会人として生きていると、いつの間にか観念的身体は蝕まれ、どんどん老化していきます。だから、その老化を食い止めなければならない。観念的身体の老化に抗うこと、それが生きるということだと沢田は言っているのです。あなたの観念的身体は生き生きとしていますか？

ところで、沢田は視神経に腫瘍があり、かなり重篤な状態なのですが、手術を拒否していきます。入院も拒否しています。やがて和彦もそのことを知ります。

竜彦の声「（静かに）病気はなおしゃあいいのか？　長生きはすりゃあするほどいいのか？」

「……」

竜彦「〔……〕そうはいかねえ。身体が丈夫だって、長生きしたって、なんにもならねえ奴はいくらでもいる。なにかを、誰かを深く愛することもなく、なんに対しても心からの関心を抱くことが出来ず、ただ飯をくらい、予定をこなし、習慣ばかりで一日をうめ、下らねえ自分を軽蔑することも出来ず、俺が生きててなにが悪い、とひらき直り、魂は一ワットの光もねえ。そんな奴が長生きしたって、なんになる？　そんな奴が病気治したって、なんになる？〔……〕」（前掲書）

和彦は反論します。

竜彦「いうこときいて入院しろか？」
和彦「そうです。それの、どこがいけないんです？」
竜彦「俺は――病気を、受け入れることにしたんだよ」
和彦「受け入れる？」
竜彦「そうだ。あくまで病気に抵抗して、手術をして、どうでも生きようとするのも、一つのやり方だ」

和彦「――」

竜彦「しかし、神様かなにかが、死んじまう病気をくれたんなら、ジタバタせずに、おぼしめしのようにしようじゃないかと――」

和彦「助かるかもしれないのに」

竜彦「死ぬことを受け入れようとする人間がいてもいいじゃないか（静かにいう）」

和彦「ぼくは、生きている以上、なんとか生きようとする方が自然だし、当たり前だと思いますけど」

竜彦「そんなにみんな、生きようとしてるかい？」

和彦「してると思うな」

竜彦「そうかねえ？　そんなに、みんないきいき生きようとしてるかねえ」

和彦「いきいき、とかそんなことといえば、ちがうかもしれないけど、普通は病気になれば、なおそうと思うし、死ぬのは嫌だと思いますよ」

竜彦「でも、みんな死ぬんだ」

和彦「そりゃそうだけど――」

竜彦「みんながみんな、嫌だ嫌だといいながら死ぬんじゃ情けねえじゃねえか。とうとう来たか、よし来た、死んでやろう」

和彦「そんな――」
竜彦「病院の冷たい廊下やスリッパの音や、白いベッドや、そういうものとは縁なしで、黙って死んじまおうとする人間がいたって不思議はない」

（前掲書）

和彦は無意識のうちに生物学的身体を延命させることが「生きる」ことだと考えています。それに対して沢田は、「いきいき生きようとしてるか」と問いかけます。観念的身体を輝かせることこそ生きることではないか、それができず、ただ生物学的身体を延命させたところで何の意味があるのだと沢田は言っているのです。

それに、和彦は「死」を自分のものとして引き受けていないので、ありきたりの応答しかできていません。対して沢田は、「先駆的決意性」（ハイデガー）をもっています。死を前にしてどうしても叶えたい「願い」があるのです。その願いとは何か。

ある日、沢田は突然、望月家を訪れます。

都「なんの用？」
竜彦「（普通の声で）逢いたくてね」
「……」
都「ここへ来るなんて（立ち上り）信じられないわ。どんなに迷惑か分らないの？」

竜彦「まるでバイキンだね」
都「そうよ。はっきりいって、そうよ。あなた、和彦がうまれた時は、もういなかったのよ。和彦を一遍だって抱いたこともなかったのよ。今更、父親面する資格なんかないし」
竜彦「――」
都「逢いに来る権利なんか、これっぽっちもないわ」
竜彦「資格や権利で来たんじゃあない」
都「だったらそういうこと考えてよ。逢わす顔がないっていうのが、常識でしょ」
竜彦「一昨日から出歩いててね。じわじわ、誰より、あんたに逢いたくなった」
都「勝手なこといわないで」
竜彦「あの子じゃなくて、あんたにだ」
都「迷惑だわ」

（前掲書）

沢田は死を前にして昔の恋人だった都（和彦の母）に会いたいと言うのです。二人は若いときは夢を語り合う仲だったのでしょう。しかし、別れてからはまったく別々の人生を歩んできました。都はマイホーム主義者の妻としてリアリズムの世界を、沢田は芸術家（カメラマン）としてロマンティシズムの世界を生きてきました。

沢田から見れば、都はマイホーム主義に洗脳された奴隷のように見える。そんな都のマイホーム主義を粉砕し、もう一度ロマンティシズムを生きよと思っているのかもしれません。しかし、都はマイホーム主義者の妻として、家庭の平和を必死に守ろうとします。

これは、ロマンティシズムとリアリズム、実存主義とマイホーム主義との闘いなのです。

そんな闘いの最中、娘の良子が中学校から帰ってきます。

良子「(あとずさり) お母さん、百十番する?」
都「いいの。そんなことしなくていいの」
竜彦「そうだよ、姉ちゃん (と門の方へ)、なにかあると百十番てェのも、悪い癖だ。自分でやっつけるってェところがなきゃあいけない」
良子「(あとずさる)」
都「その子をおどかさないで」
良子「(パッと脇へよけ) なに、この人、お母さん」
都「押し売り。ただの押し売りよ」
竜彦「そうじゃないよ、姉ちゃん」
都「なにいうの」
竜彦「和彦の本当のお父さんだ」

都　「バカなこといわないで」
竜彦「この人の昔の男だ（と都をさす）」

（前掲書）

　こうして沢田の存在は、和彦の父親・省一にも知られることとなり、望月家には不穏な空気が漂い始めます。いままでなんとか家族の平安を維持してきた望月家の日常に、沢田という非日常（異物）が投げ込まれたのです。
　沢田の行動はエスカレートし、省一の勤める信用金庫まで押しかけていき、二、三回でいいので都と会わせてほしいと頼み込みます。もちろん、省一は断固断ります。

省一「話ですみゃあいいよ。男と女の仲だよ。話だけと思ったけど、ついそれ以上になりましたって、あとでいわれたって、とりかえしがつかないだろう」
竜彦「なるほど」
省一「絶対に断る」
竜彦「しかし、あの人は、あなたの持ち物じゃない」
省一「しかし、君の持ち物では、もっとない。これでも、私は亭主だからね。女房のすることに意見をいうぐらいの権利はある」

［……］

竜彦「いうのを忘れましたがね」
省一「いわないで結構」
竜彦「私は、長くないんですよ」
省一「――」
竜彦「じき死ぬんです」
省一「――」
竜彦「あなたに、迷惑をかけたとしても短い間です」
省一「――病気なんですか」
竜彦「お定まりの腫瘍ですよ」
「……」車、脇へ寄って停る。「……」
竜彦「なにか？」
省一「そういうことなら、話は別でしょう。ただ、逢いたい、とか、しゃべりたいとかいうのと、訳がちがう」
（前掲書）

ふつうなら省一は、余命いくばくもない沢田に同情を寄せるところなのですが、どうにも沢田の態度が気に入りません。省一は沢田と会ったことを妻に話します。

省一「ほんとなのか？」
都「なにが？」
省一「じきに、死ぬって——」
都「そんなこといったの？」
省一「嘘か？」
都「嘘じゃないと思うけど」
省一「いい加減な話じゃないか（起きる）」
都「なにが？」
省一「治せるのに、治さないで、死ぬとかいって」
都「そんなことまでお父さんに？」
省一「生命をもてあそんでるよ。なんか、あいつは邪悪なところがあるよ。悪魔みたいなところがある」
都「——」
省一「人の好意を、せせら笑うような、人をバカにしたところがあるよ」
都「——」
省一「普通なら同情するよ。じきに死ぬっていやあ同情する。しかしあの男には、俺は、そんな気になれない」

都「――」

省一「生きようとしていない。どうでもいいってェ顔だ。そんなのが、じきに死ぬから って、同情のしようもないよ」

都「なんだっていうの？」

省一「――」

都「わざわざ、なにしに？」

省一「勿論、お前の勝手だ」

都「なにが？」

省一「俺は留守ばっかりだ。お前が逢いたがりゃあ、止めようがない」

都「私が、なぜ、あの人と？」

「……」

省一「あいつはまだ逢いたいっていってるよ」

都「そんなこと知らないわ」

省一「――」

都「私に、そんな気はないわ」

省一「――」

「……」

都　「勝手なこといってるわ。誰が逢うもんですか」
省一「――」
都　「逢わないわ」
省一「――」
都　「安心して」
省一「心配なんか、してないよ（横になって蒲団をかぶってしまう）」
（前掲書）

しかし、省一の心は揺れ動きます。沢田の余命がいくばくもないということがどうしても気にかかるのです。一方、沢田の心も揺れ動きます。望月家の人たちの心の中を土足で踏みにじったことに対する罪責感が芽生えるのです。
ある日、沢田は望月家へ電話をかけます。電話口には良子が出ました。沢田は良子に駅前の喫茶店で会わないかと誘います。良子は母親と二度と会わないということを条件に家族に内緒で会うことにします。良子は中学一年生です。

竜彦「あんな風に逢いに行ったのは、いけなかった」
良子「――」
竜彦「おじさんは時々行儀よくしてることが、とても嫌になっちゃうんだ」

良子「――」
竜彦「お行儀よく、君の家の平和を乱しちゃいけないと我慢してる。行けば迷惑だろうと我慢をしてる。でも、逢いたいな、と思う。話をしたいな、と思う。でも迷惑だな、と思う。そうやって我慢をしているうちに、そんな我慢がバカバカしくなる。なぜ、ちょっと話をしたいだけのことをそんなに我慢していなけりゃいけないのか？　腹が立ってくる。逢いたい。しゃべりたい。でも、悪いな、と思う。だから、行った時には冷静じゃなくなってる。迷惑だから、帰りなさいなんて、お母さんにいわれるとカーッとなって、つい大声を出して、バカなことをいっちまう。あとで、後悔する」
良子「――」
竜彦「あやまりたいと思う。でも、電話すると、また迷惑かな、と思う。迷いながら、ここまで来て、思い切って電話をした」
良子「――」
竜彦「すると君が出た」
良子「子供なのね」
竜彦「――」
良子「いい年して子供なんだと思うわ」

竜彦「（笑って）その通りだ。しかし、大人になりたいとは思わないね。行儀のいい大人だったら、こうやって君と逢うことも出来なかった。常識をまもって、遠慮して、たった一人でいまも家にいるだろう」
良子「ひとりなの？」
竜彦「ああ、ひとりだ」
良子「――」
竜彦「来てくれて、嬉しいよ」
良子「――」
竜彦「女の子と、こんな風に話すなんてはじめてなんだ」
良子「はじめて？」
竜彦「ああ」
良子「それ」
竜彦「うん？」
良子「もてないっていうこと？」
竜彦「（笑って）どう思う？」

（前掲書）

行儀のいい若者。行儀のいい老人。行儀のいい信者。誰もが安心して受け容れられるような行動しかできない人には、新しい出会いなんてないのかもしれません。
人生の最後に「都と逢いたい」と願う沢田。
あなたは、死ぬまでにどうしてもこれだけはしておきたいという夢がありますか？
そしてそれを実現させようと努力していますか？
良子は徐々に沢田の人間性に惹かれていきます。
省一は沢田のことが気になり、思い切って沢田の家まで行きます。

省一「せんだっての、私の、返事に間違いは、まあ、ないんだが」
竜彦「──」
省一「ただ、逢って話したい、というのに、多少、頑なだったか、というような気もしましてね」
竜彦「──」
省一「和彦が──生まれた時には、もうあなたはいなかったそうだし、どの程度息子というような気持ちがあるものか、見当がつきませんけど、生物学的には、たしかに父親なんだし、逢いたいと思う気持を嘘ともいえない」
竜彦「──」
省一「かくれて逢わずに、正面から私に頼んでいらしたのを、ただはねつけるのも考えてみりゃあ、男気がないというか――フフ、思い直すような気持ちがありましてね」

「……」

竜彦「私はあなたの奥さんと逢いたいといった」

省一「同時に、息子にも逢いたいでしょう？　いや、というより、つまり息子と一緒なら、一度、何処かで夕食でも食べたらいいと思ったんです」

竜彦「――」

省一「正直いうと、それなら安心という気持ちもないじゃない」

竜彦「――」

省一「私のところへ来たのは、よくよくのことでしょう。いや本当によくよくのことか確かめたいような気持があって――」

竜彦「――」

省一「納得しました。ここに一人というのは淋しい。こういっちゃあなんだが、家族にかこまれている私が、一日ぐらい我慢するのは、仕様がない」

竜彦「――」

省一「日をいってくれれば、家内と和彦に、あなたと逢うようにいいましょう」

竜彦「それは、ありがとう」

省一「いいえ、気になってね。同じ男として、あなたの気持ち分らなくないような気がして」
竜彦「明日、どうです？」
省一「ああ、二人の都合さえよければ、いいんじゃないかな？」
竜彦「じゃあ、明日、五時頃にでも、此処へ来るようにいって下さい」

（前掲書）

省一は、都と和彦を沢田に一度会わせることで、彼の欲望を鎮めることができるのではないかと考えました。しかし、沢田の欲望は、省一のマイホーム主義の中で飼いならすことができるような代物ではありませんでした。

都と和彦は、一回きりという約束で沢田と会うことになります。
母の都は、和彦の学校のことや家を買ったときの話を長々とします。
ハイデガーの言う「空談」ですね。和彦が耐えきれずに言います。

和彦「そんな話、もういいよ（とちょっといらついていう）」
都「いいじゃない」
和彦「家がどうの、学校がどうの、そんなこと、こちらは興味ないよ」
都「そうかもしれないけど」

（前掲書）

すると和彦を制するように沢田が言います。

竜彦「興味を持て、とお母さんは私にいってるんだ」
都「（否定しない。かすかな苦笑）」
和彦「（その母をみる）」
竜彦「家をどうやって手に入れたか、金はどうしたか、学校の合格発表はどうなっているか。そういうことを、細細（こまごま）と心配して行くことが、生活して行くことだ、とお母さんはいってる」
都「（目を伏せている）」
和彦「（その母を見る）」
竜彦「子供を育てるということは、そういうことだ。ありきたりだろうがなんだろうと、三度三度の飯をつくり、金を算え、掃除をし、着るもんの心配をしていかなきゃあ、子供なんて育つもんじゃない。そう、お母さんはいっている」
都「——（目を伏せている）」
竜彦「こんなところで、自分ひとりのことだけを考え、並の人間とはちがうようなつもりでいる私に、子供を育てて生きて行くということは、こういうことだ、といってるんだよ」

和彦「――」
竜彦「ありきたりが何が悪い？　無数のありきたりに耐えなければ、子供なんて育てられない。生活というものは、平凡でありきたりなもんだ。それを批評する資格なんて、あんた（自分を指し）にはない。聞きなさい。いやでも聞きなさい。どうやって、安い利子でお金を借りたか。どうやって家を見つけたか。私は、そういう細細（こまごま）したことに立向かって、ここまで和彦を育てて来た――そうお母さんはいってるんだ」
（前掲書）

この実存主義者の口調で語るマイホーム主義擁護論はなかなか迫力がありますね。もちろん、ありきたりの生活をありきたりに生きるということは大切なことです。「世人」の生き方にも十分な意義は認められるはずです。しかし、九九パーセントの日常性に対し、一パーセントの非日常性を追い求める情熱が人生に豊かさをもたらすのです。マイホーム主義者はその情熱を喪失している。そんな情熱をもたない人生なんて、もはや人生とは呼べないのではないか、そう沢田は言いたいのです。

あなたにとって一パーセントの非日常性とは何ですか？

都が「夫が心配するからそろそろ失礼するわ」と言うと、今まで耐えていた沢田は病気（脳腫瘍）のせいもあったのでしょう。ついに爆発します。

竜彦「変りゃあ変ったもんだ」
都「――」
竜彦「あの亭主が心配するか！　勝手に心配させときゃいい！」
都「なにをいうの」
竜彦「下らん家庭を大事にすりゃあいい！」
和彦「――」
竜彦「一体、お前らの暮しは、なんだ！」
都「どうしたの？　急に」
竜彦「和彦！」
和彦「（おどろいている）」
竜彦「和彦！」
和彦「はい」
都「どうしたの？」
竜彦「どうせ、どっかに勤めるか？」
和彦「――」
竜彦「どうせ、たいした未来はないか？」
都「――」

竜彦「バカいっちゃいけねえ。そんな風に見切りをつけちゃいけねえ」
和彦「――」
竜彦「人間てものはな、もっと素晴らしいもんだ」
和彦「――」
竜彦「自分に見切りをつけるな」
和彦「――」
竜彦「人間は給料の高を気にしたり、電車がすいてて喜んだりするだけの存在じゃあねえ」
都「――」
竜彦「その気になりゃあ、いくらでも深く、激しく、ひろく、やさしく、世界をゆり動かす力だって持てるんだ」
和彦「――」
竜彦「偉大という言葉が似あう人生だってあるんだ」
和彦「――（うなずく）」
竜彦「あんな親父と似た道を歩くな！」
都「よして――」
竜彦「親父に聞いてみろ！　心の底までひっさらうような物凄え感動をしたことがある

かってな！」

都　「あなたは、あるの！」

竜彦「自分をみがくんだ。世界に向かって、俺を重んじよ、といえるような人間になるんだ。家庭が幸せなら、事足れりなんていうようなあんな奴の（ように――）」

［……］

竜彦「あんたを愛してるか？　あんたをあいつは愛しているか？」

都　「そう（思うわ）」

竜彦「愛してるわけがねえ。ああいう男が、人を愛するなんてことが出来るわけがねえ。自分のことばっかりよ。心ン中のぞいたら、安っぽくて、簡単で、カラカラ音がしてるだろうぜ」

都　「帰るわ」

竜彦「和彦」

都　「余計なことをいわないで」

竜彦「適当に生きるなんてことを考えるな。体裁のいい仕事について、女房貰って、子供つくって、平和ならいいなんて、下らねえ人生を送るな」

都　「どこが下らないの」

竜彦「（都へ）お前の亭主のような連中が、こんなちっぽけな魂しか持ってねえことは、あんたも百も承知だろうが。その上奴らはそれでなにが悪いとひらき直っている」
「……」
竜彦「いっとくが、あんたは、あんな奴で満足してるわけがねえ。奴は一遍でも、自分の魂の安っぽさに悩んだことがあるか？　少しでも、魂を豊かにしようと、自分をきたえたことがあるか？　悩んでることは、月給だの身体の調子だの、天気の具合なんてことばっかりだろうが」
都「（邪魔され、抗いつつ靴をはき）私は、あの人を愛してるわ」（前掲書）

省一はありきたりの「人類」です。沢田はそんな人類を超えよと言っています。ニーチェはそういう生き方をする人を「超人」と呼びました。

しかし、このキリスト教に対抗するニーチェの超人思想は、ニーチェを神と仰ぐ「ニーチェ教」になってしまわないでしょうか。それは、「キリスト教」という夢から醒めて、「ニーチェ教」というもう一つの夢に落ち込むことになってしまわないでしょうか。

和彦の大学受験は、結局本命はすべて落ち、すべり止めの大学だけしか受かりませんでした。

省一は和彦に言います。

省一「こういういい方は、なんだが、結局すべり止めの、一つだけ受かった訳だよな」

和彦「――うん」
省一「ま、あそこだって落ちる奴は一杯いるんだから、勿論お前はよくやったよ」
和彦「（力なく）そんなことないけど」
省一「ただ、親馬鹿かもしれないが、お前は、一橋や早稲田の政経が固いっていわれてたんだ」
和彦「――」
「……」
省一「ずばりいうと、あそこじゃお前、就職大変だぞ」
和彦「――」
省一「どうだ？　浪人して、来年、国立狙ってみないか？」
「……」
和彦「――」
省一「今年はお前、実力を発揮出来なかったと思うんだ。そのまま、いってみりゃあ三流大学へ入って、三流の会社へ入りゃあ、一生そのままだからな」
和彦「――」
省一「ここは、多少つらくても、一年浪人して、もうちょっといいとこ狙った方がいいんじゃないか」

（前掲書）

親からの当然の慰めの言葉のようですが、和彦は反発します。

和彦「どうして大学で一生が決まるのさ?」
省一「そりゃあお前」
和彦「(カッと) 入った会社で、どうして一生が決まるのさ?」
都「和彦」
和彦「ぼくは、そんなことで一生が決まっちゃうような――(立ち上り) そんな安っぽかないよ」
省一「いや、そりゃあな」
和彦「親なら、いうべきだよ。大学が悪くたって、へえ、あんな大学からあんなにすごい奴が出て来たのかって、そういわれるような奴になれって、そのくらいのこというべきだよ (パッと階段へ)」
「……」
和彦「(勢いで少し上って) いい大学だのいい会社だの、そんなことムカムカするよ。……問題は人間だろ。……人間として、どんな奴になるかってことが問題じゃないのかよ!」

(前掲書)

和彦は、ニーチェ教の信者のように激烈に反論します。まるで沢田が和彦に乗りうつっているかのようです。そして、和彦は家を飛び出してしまいます。

いままで親に従順でやさしかった和彦の変わりように省一は驚きとショックを隠しきれません。それでも、マイホーム主義者の省一は、和彦との関係修復を懸命に試み、食事に誘います。

省一「お前と、あんな風に、揉めたの、はじめてだからな。どう、仲直りしようかと一日考えてた。

和彦「(うなずく)」

省一「電話があってほっとした」

和彦「――(うなずく)」

省一「いや、お前のいうことは正論だよ。たしかに、いい大学へ入るばかりが能じゃない。こんな三流大学から、こんなすごい奴が出て来たって、そういわせりゃいいことだ。大学にこだわることはない」

(前掲書)

父親の省一は、自分の気持ちを抑えてでも家庭が平穏であることを優先させようとします。でもほんとうは、ここは和彦と向き合って本音で意見を戦わせるべきところだったのではないでしょうか。無理して抑圧した感情は、ちょっとしたことでほころぶものです。

食事が終わって、二人は、タクシーで帰路に向かいます。酒の弱い省一は少し飲みすぎてしまい、酔っぱらって和彦に絡みます。

省一「(酔って、横の和彦をにらみ) 恰好いいこというな」
和彦「(酔っていない) うん」
省一「三流大学で、ぬきん出りゃあいいだと？　ヘッ。笑わせんじゃねえよ」
和彦「——」
省一「ぬきん出るなんて事が簡単に出来ると思うのか？　簡単じゃないから、いい大学へ入って、ハクつけて、なんとかしようとみんな思ってんだ」
和彦「——」
省一「現実は。そう甘かないよ。そうお前、恰好よく行くもんか。三流大学出りゃ三流会社、そして三流の人生よ」
和彦「——」
省一「そりゃあ、中には、何処にいたって一流だっていう奴もいるだろう。しかし、そんなのは、一万人に一人よ。俺たち凡人とは関係ねえよ」
和彦「——」
省一「現実はそんな甘かあないんだ (ドスンと背もたれへもたれ目を閉じる)」(前掲書)

そう言って、省一はタクシーの中で眠り込んでしまいます。
和彦が独り言のように静かに語ります。

和彦「(静かに)一万人に一人なら、その一人になろうとしちゃあいけないのかな?(省一は見ない)」
省一「(目を閉じている)」
和彦「現実は甘くないって、おどすだけの親なんて情けなかないかな?「……」」(前掲書)

一方、沢田に興味をもった良子は、家族に内緒で沢田の家を捜し当てて会いに行きます。

良子「この人が、お兄ちゃんのお父さんだなんて」
竜彦「フフ」
良子「どんな風だろう? こういう人がお父さんだったら」
竜彦「フフフ」
良子「やりにくそう(と自分のカップをかき回す)」
竜彦「そうだね。君のお父さんの方が、ずっといい」
良子「親としてはね。男としては、ちょっとまたちがうと思うけど」

竜彦「いや、男としても、立派だ」
良子「立派って感じじゃないけど」
竜彦「さっきから、お父さんの偉さを感じてるよ」
良子「感じてるって？」
竜彦「君を通して感じてる」
良子「フフ、見ないで、そんな目で」
竜彦「お母さんがちがうのに、ちっともそういう影がない」
良子「それは少し買いかぶり。時々ひがむの。だって、お兄ちゃん受験だったでしょう。
わりと大事にされたりするから、変になっちゃったわ」
（前掲書）

沢田の視力はかなり落ちてきていました。

良子「目が悪いって聞いてたけど」
竜彦「いやあ、よく見える。君の顔もね」
良子「顔もって、そんなことというほど見えないわけ？」
竜彦「そういう、陰気くさい話はよそう。話してみても、仕様がないことだ（とコーヒーをのむ）」
（前掲書）

そして、沢田は良子に語りかけます。ここは、私の大好きな場面です。沢田は良子に向かって話していますが、もしかしたらここは、もはやロマンティシズムの灯が消えかかっているあなたに語りかけているのかもしれませんよ。少し長くなりますが、心して読んでください。

竜彦「(椅子へドスンと座り) 勿論だよ。なにか好きなものがあるということは素晴らしいことなんだ」
良子「ロックとマンガでも?」
竜彦「そうさ。なんだっていいんだ。なにかを好きになって、細かな味も分かって来るということは、とても大切なことなんだ。そういうことが、魂を細やかにするんだ。マンガでもロックでも、深く好きになれる人は、他のものも深く好きになれる」
良子「(うなずく)」
竜彦「一番はずかしい人間は、下らないとかいって、なにに対しても深い関心を持てない人間だ。そういう人の魂は干からびている。干からびた人間は人を愛することも物を愛することも出来ない」
良子「(うなずく)」
竜彦「たとえば、ビールの蓋やジュースの蓋を子供が集める。それは、はたから見れば下らない。そんな暇があったら勉強した方がいい、と大人は思うだろう」

良子「(うなずく)」

竜彦「しかしちがうんだ。肝心なのは、夢中になっているということなんだ。なにかに、深く心をそそいでいるということなんだ。それが心を育てるんだ。それに比べたら勉強が出来るなんてことはつまらないことだ」

良子「(うなずく)」

竜彦「なにかを深く好きになることが必要だ。しかしそれは、ほうっておいて出来ることじゃない。好きになる訓練をしなきゃあいけない」

良子「(うなずく)」

竜彦「マンガが好きならマンガでもいい。ただ、気持ちのままに読み散らしているのではいけない。細かな魅力を分ろうとしなければいけない。すると、誰のがチャチで、誰のがいい味だというようなことが分って来る。もっと深い味が欲しくなる。もっと複雑な魅力が欲しくなる。それはもうマンガでは駄目だということになったら、他のものを求めればいい。その分、君の心は豊かになっている」

良子「――」

竜彦「好きなものがない、というのはとても恥かしいことだ。なにかを無理にでも好きにならなければいけない。若いうちは、特に、なにかを好きになる訓練をしなければいけない」

良子「——」

竜彦「なにかを好きになり、夢中になるというところまで行けるのは、素晴らしい能力なんだ。物や人を深く愛せるというのは誰もが持てるというものじゃない、大切な能力なんだ。努力してなければ持つことの出来ない能力なんだ」（前掲書）

もし「生きる」ということが、単に生物学的身体を延命させることではなく、観念的身体の一瞬の輝きを味わうことだとするならば、この沢田の言葉は、還暦になっても、古希になっても、傘寿になっても、卒寿になっても十分通じる言葉ではないでしょうか。

では、どうすれば人生に輝きをもたらすことができるのでしょうか。それは、「物や人を深く愛」することです。その愛が人生に輝きをもたらすのです。ですから、歳をとって「好きなものがない、というのはとても恥ずかしい」ことだと感じるべきだし、もしあなたがほんとうの生を生きたいのなら、「なにかを無理にでも好きにならなければ」ならないのです。

沢田の言葉は良子の心をつかみます。良子は帰宅すると父の省一に言います。

良子「死にそうなの？　あの人、ほんとうに死にそうなの？（起き上っている）」

省一「良子」

良子「なんだか、私、そんなような気がして仕様がなかったわ」
省一「お前――」
良子「だったら、逢わしてあげりゃあいいじゃない。お母さんやお兄ちゃん、どんどん
　逢わしてあげたら、いいじゃない」
省一「どうした？」
良子「一回だけなんて、ケチなこといってないで、どんどん逢いに行けっていってよ」
「……」
省一「お母さん、逢いたいっていってるのか？」
良子「いってなくたって感じるわ。死にそうなら、逢いたいと思うわよ」
「……」
省一「なにをいっている。お父さんは、すべきことはした。それ以上してやる義理はな
　い」
良子「そうかもしれないけど」
省一「大体、迷惑をこうむってるんだ。和彦を見ろ。和彦が、妙なことになったのは、
　あいつのせいじゃないか。あいつが、つまらないことをふき込んだからだ」
良子「つまらないっていうけど」
省一「もういい。お父さんは考えたあげくにそうしてるんだ（と外へ出ていってドアを

閉める）」

良子「お父さん、自信がないから、逢わせないのよ（バタンとドアを閉める）」

「……」

良子「向こうはお父さんをほめてるのよ。お父さんは、あいつだなんて悪口いって、随分ちがうじゃない」

「……」

省一「いつ逢った？」

都「どうやって逢ったの？」

良子「癪じゃない。向こうの方が素敵だなんて口惜しいじゃない」

省一「そんなお前――」

良子「しっかりしてよ。お父さん。しっかりしてよ」

省一「バカモン。俺はしっかりしてるぞ」

（前掲書）

沢田の影響力は省一の想像を上回っていました。もはや省一のちっぽけなマイホーム主義の処世術で沢田の欲望をコントロールすることはできません。

省一は落ち込みます。都が慰めます。

省一「（打ちのめされていて）俺の何処が悪い？」
都「悪くないわ」
省一「地道に働いて、家族のためを思って」
都「良子が悪いわ」
省一「しっかりしろとはなんだ」
都「よくいうわ、私が」
省一「あっちは、ひとりで勝手に生きて、好き放題して、いまは働いてもいない」
都「わかった（と慰めるようにいう）」
省一「それで素敵だなんて、どうしていえるんだ」
都「お父さんの方が、素敵よ」
省一「調子のいい事いうな」
都「本当だもん」
省一「俺は自分勝手なことは、なにひとつしてないぞ。いつだって家族のことを考え、仕事で手を抜いたこともない。真面目に、正直に、誰に恥じるところもなく働いて来た」
都「そうよ」

省一「それで、あっちが素敵だなんて、そんなことといわれて、たまるもんかッ（と泣きたい）」
（前掲書）

都が良子を諭します。
都のこの台詞。実存主義者に対抗する見事な弁明になっているのではないでしょうか。

都「（来て、静かに）お父さん、すごくショックだったのよ。誰だってショックだと思うな」
良子「――」
都「お父さん、魅力あるじゃない。お母さんは、あるな」
良子「――」
都「意地の悪いようなところないし、明るいし、責任感もあるし、会社でだって結構人気があるらしいし、顔だってまあまあじゃない」
良子「――」
都「私達を捨てて、勝手な事なんて絶対しないと思うし、そういうのお母さん魅力だな」
良子「――」

都　「そりゃそういう人は、強い個性とか、そういうものはないと思うし、ダンスが下手だったり、恰好悪いところもあるけど、でも、一生懸命家族のために働いてくれてるし、良子をとても大切に思ってるし――素敵じゃないなんていっちゃ、可哀そうなんじゃないかな？」
良子「そう思うけど――」
都　「だったら、ごめんて、いって来なさい。ほんとは素敵だって」
良子「だけど――」
都　「うん？」
良子「お母さんは、それでいいの？」
都　「いいって？」
良子「お父さんが機嫌直せば、あの人のことは、どうでもいいの？」
都　「フフ、良子も大きくなったね（と嬉しく涙ぐむような気持と、あの人のことは諦めているのよ、という淋しさのまざった思いでいう）」
良子「長くないなら、なるべく逢っといた方がいいに決まってるじゃない」
都　「――」
良子「私は、そりゃあ、お母さんたちが、あっちばっかり行ってたら、嫌だけど――仕様がないじゃない（涙）」

都　「──ありがとう。良子が、そんなこと、いうなんて。おどろいた──（と涙）」
（前掲書）

いままでは頑なに沢田を排除することが望月家の平和を守ることだと信じていた省一でしたが、マイホーム主義の限界を感じます。マイホーム主義は乗り超えねばならない。

そして、省一は次のような問いをつかみます。

余命いくばくもない沢田に対して、オレはいったい何ができるのだろうか。

省一は、仕事帰りに沢田の家に立ち寄ります。

省一「見えるんですか？　わり合い、本気で聞いてるんです」
竜彦「明暗、程度です。そこにいらっしゃることは分る」
省一「そうですか──」
竜彦「しかし、馴れた家で、痛みもなんとか、おさえている。金も多少あります。一人で、いられないわけじゃない。あなたにも、奥さんにも、余計な迷惑をかけました」
省一「いや──」
竜彦「もう、御迷惑をかけないといいたいが、出来たら、坊やには二、三度逢いたい」
省一「いいですとも」

竜彦「急に逢ったもんでね。私も、多少自分を失ったところがある」

省一「――」

竜彦「いい子だし、あなたが羨ましかった」

省一「――」

竜彦「性急（せっかち）に、影響をあたえたいと思った。あなたにも見苦しくからんだところがある」

省一「――」

竜彦「あなたのよさを見ようとせず、鋭く、つまらんとこばかりをつゝこうとした」

省一「――」

竜彦「そういうことを、出来たら修正したい。欠点を鋭く指摘して、人にはずかしい思いをさせるなんて事は、実に下劣なことです。素晴らしいのは、誰にも、はずかしい思いをさせないような人格だ。そういうことをいいたい」

省一「――」

竜彦「私は、ことによると、反対の印象をあたえてしまっている。気をひきたかった。あの子に、強い印象をあたえようとして、大げさな口をきいた」

省一「――」

竜彦「貴様らは骨の髄までありきたりだなどとわめいた」

省一「――」

竜彦「たしかに、私には、ありきたりのものへの嫌悪がある。ものを深く考えようとせず、ありきたりな口をきき、ありきたりな楽しみを求め、自分ではなにひとつ新しくはじめようとはしない人間を嫌う気持ちがある。しかし、言葉で非難すべきではなかった。そんなのは下劣です。自分を棚に上げている。自分にも、いくらでも、ありきたりなところがあるのに」
省一「――」
竜彦「フフ、すいません」
省一「いや」
竜彦「目が見えないせいか、ふいと一人でいるような気になっちまう」
省一「――」
竜彦「なにか勝手なことをいっていました」
省一「いや、私には、よく分らないところもあるが、和彦に、いってやりたいことがあるなら、どうかいって下さい。私なんかあなた、子供に是非いいたいことなんて、実にない。勉強しろ、とか、そんなことじゃ社会へ出てのして行けないぞとか、そんなことしかいえない。それ以上のことはなにもいえない」
竜彦「一緒に暮してれば、それでいいんです。私ははなれているし、これからもっとはなれちまうから、言葉がいるんです」

（前掲書）

省一は一晩考えて、考えて、考え抜いた挙句、家族に驚くべき提案をします。家族全員で沢田の家へ行き、みんなで住み込んでしまおうというのです。

省一「いや、私は、実に突飛というか、しかし、本気で考えたんです。家内もあなたを一人にしにくいといった、子供たちもそういった、私も昨日帰る時そう思った。だったら、押しかけて、一家で、住み込もうと思ったんです。普通じゃあないってい やあ普通じゃあないが、あなたを目の敵にして、家をまもってるより、いいと思った」

竜彦「——」

省一「なんか、ふりかえると、キーキーいって、あなたを追っぱらうことばかり考えていたようで」

竜彦「そんなことはない」

省一「家じゃあ、急に、私がこんな事いい出したんで、どうかしちまったんじゃないかって、思ってます。いいから来いって、連れて来たんです」

（前掲書）

これが省一の出した結論でした。省一の人生がもっとも輝いた瞬間ではないでしょうか。

和彦の声「本当に、それは思いがけない一日だった。こんな事があるなんて、つい昨日まで思ってもいなかった。そして、それを、常識の範囲以外のことは決してしないだろうと思っていた今の父が、やろうとしたことが嬉しかった。なにか、とても世界が、ひろがったような気がした」
（前掲書）

実存主義者とマイホーム主義者が本気でぶつかり合い、互いのよいところと悪いところを認め合うことによって、自らの世界観を広げていったのです。

二つの対立する世界観がぶつかり合って新たな世界観を生み出すことを哲学用語で「止揚（アウフヘーベン）」と言います。

竜彦「昨日、お父さん、そこで仕事の電話を二本かけてたんだ。会社と、お得意さんへね」
良子「（うなずく）」
竜彦「声を使い分けて、お得意さんには、一生懸命愛想よくしていた。それ聞いてて、ああ、こうやって、お父さんは、和彦と良子ちゃんを育てて来たんだな、と」
和彦「――（うなずく）」
竜彦「その上、私のことも、こうして考えてくれた」

良子「──」
竜彦「こりゃあ、かなわない」
和彦「──」
竜彦「君たちに、きいた風なことをいう資格はないと思い知ったよ」
和彦「そんなこと、ありません。父が今日みたいなことをしたのも、あなたがいたからで、そうじゃなかったら、こんな無理は決してしなかったと思うし、対抗上つっぱったってところ、絶対あると思います」
良子「そう思うわ」
竜彦「（可愛く思い）そう思うか」
良子「おじさんの話、とても面白かったし、もっと聞きたいと思うわ」
竜彦「いやあ、おしゃべりは終わりだ」
和彦「何故ですか？」
竜彦「お父さんは、なにもいわずに、こうやって、自分の奥さんの昔の男、しかも傲慢で身勝手な男のところへ家中(うち)を連れてやって来てくれた」
和彦「──」
竜彦「おしゃべりじゃ、対抗できない。こっちも行(おこな)いでこたえるしかないが、出来ることはもう、ジタバタしないで、なんとか落ち着いて、死ぬぐらいしかない」

和彦「──」
良子「──」
竜彦「今日は、来てくれて、本当に、嬉しいよ」
（前掲書）

「おしゃべりじゃ、対抗できない。こっちも行いでこたえるしかない」。これが沢田の出した結論でした。そしてこれ以降、沢田はほとんど何も語らなくなります。

和彦の声「父は居場所がないように、外へ出ては、金槌を叩いて、何処かを修理していた。［……］母も、父に気兼ねするのか、台所へ入ったきりで［……］三人で応接間で何枚もレコードを聞いた。沢田さんは──もう、ほとんどなにもいわなかった」
（前掲書）

最後は、実存主義とマイホーム主義の和解と赦しの場面です。

和彦の声「明美さんが、まず唄いはじめ、次がぼく、その次が良子、［……］そしてとうとうお母さんも唄った。もっとも、お母さんは長いこと唄わなかったので、歌詞が続かず、半分ぐらいはハミングだった。みんなで、なんとか、なごやかに盛り上げようと一生懸命だった［……］そして、クライマックスは、二人の父のデュエットだった。今の父は、一瞬もしらけた顔など見せず、せい一杯陽気に振舞った。沢田さんも、目が見えず、間もなく死んで行くことなど、毛筋ほども見せなかった。ぼくには、二人が、頑張って自分を越えようとしているように見えた。自分を克服して、自分以上のものになろうと、はりつめているように見えた。［……］そして、はりつめた糸が切れたように、翌朝沢田さんは倒れ、そのまま意識は戻らずに、二日後の三月二十二日に病院で息をひきとった。［……］それもぼくには、沢田さんの意志の力のように思えるのだった。［……］わが家は何気ない毎日だった。でも、この三カ月が［……］なんでもないはずはなかった。［……］少なくとも、ぼくは変らなければならないと思った。［……］あるがままに、自然に生きるのではなく、無理をして自分を越えようとする人間の魅力を、忘れたくないと思った」

（前掲書）

こうしてドラマは終わります。

沢田は、人間を「創造的な人間」と「ありきたりな人間」という二つの類型に分け、前者を自分に、後者を省一に見立てて、省一のような生き方を激しく攻撃してきました。

しかし、そのような攻撃的な言葉もある意味では「ありきたり」であることに彼は気がつきます。

「おしゃべりじゃ、対抗できない。こっちも行いでこたえるしかないが、出来ることはもう、ジタバタしないで、なんとか落ち着いて、死ぬぐらいしかない」（前掲書）

イエスは十字架に磔にされるという「行い」で愛を示しましたが、キリスト教の聖職者たちは口先の「説教」でそれを示そうとします。

沢田もはじめ、「ニーチェ教」の聖職者として言葉で説教していましたが、最後にはイエスのように「行い」で対抗するしかないことを悟ります。彼にとっての「行い」とは「ジタバタしないで、なんとか落ち着いて、死ぬ」ことくらいしかありませんでした。でも、それはそれで立派な「行い」ではないでしょうか。だから沢田はこれ以降、ほとんど口をきかなくなります。

一方、省一も「マイホーム主義」の聖職者として「言葉」で説教をしてきましたが、最後にはイエスのように「行い」で対抗するしかないことを悟るのです。その「行い」とは、「家族みんなで沢田家へ泊り込みに行こう」というものでした。

ニーチェは人間の精神の変化について次のように語りました。

わたしはあなたがたに、精神の三段の変化について語ろう。どのようにして精神が駱駝(らくだ)となるのか、駱駝が獅子(しし)となるのか、そして最後に獅子が幼(おさ)な子になるか、ということ。

（ニーチェ著『ツァラトゥストラはこう言った　上』氷上英廣訳、岩波文庫）

駱駝の精神とは神から与えられた「汝なすべし」という命令を守る精神のことです。それに対して獅子の精神は「我は欲する」と反抗する精神です。

私たちの人生も「汝なすべし」という命令に従う、長くつらい時期があります。やがて、そんな命令に従うだけの人生に疑問をもち、「我は欲する」と反逆の心が芽生えてきます。もちろん、「汝なすべし」のまま人生を終えてしまう情けない人もいれば、学校や会社から解放されても「我は欲する」という欲望がいつの間にか萎えてしまい、無為に人生を過ごしてしまう人もいます。

あなたは「獅子の精神」をもち続けていますか？
あなたは「獅子の精神」を育てようとしていますか？

やがて、「獅子の精神」は「幼な子」の精神に変化します。

幼な子は無垢（むく）である。忘却である。そしてひとつの新しいはじまりである。ひとつの遊戯である。ひとつの自力で回転する車輪。ひとつの第一運動。ひとつの聖なる肯定である。

そうだ、創造の遊戯のためには、わが兄弟たちよ、聖なる肯定が必要なのだ。ここに精神は自分の意志を意志する。世界を失っていた者は自分の世界を獲得する。（前掲書）

これが、ニーチェが最終的に到達した地点です。

おそらく「幼な子の精神」とは「ルサンチマン（怨念、嫉妬）」から解放されるということでしょう。ではルサンチマンの力の源泉は何でしょう。それは「記憶」です。いつまでも過去のことに引きずりこもうとする「記憶」。

それに対して「幼な子の精神」の力の源泉は「忘却」です。記憶から解放された忘却の中で、「いま・ここ」を無邪気に子どものように生きること。これができれば人はルサンチマンから解放されるのではないでしょうか。

記憶を自在に編集し、あるいは新たに過去を作り変えることができるようになったとき、人は初めて「ルサンチマン」から解放され、自由を手に入れることができるのかもしれません。

キリスト教ではイエスの再臨ということが信じられています。もし再臨ということがあるとするなら、イエスはきっと幼子の姿で再臨すると思いますよ。

さて、ドラマでは、みんなで無邪気に幼子のように唄を歌うシーンで終わっていましたね。

沢田は省一と出会わなければ、自分を超えることができなかったでしょう。省一も同じです。「二人の父」は千昌夫さんの『北国の春』をデュエットしながら、「実存主義」と「マイホーム主義」、「創造的な人間」と「ありきたりな人間」という対立を超えていったのではないでしょうか。「幼な子」になりきることで、自分自身を超えていったのではないでしょうか。

和彦も言っていましたね。

> ぼくには、二人が、頑張って自分を越えようとしているように見えた。自分を克服して、自分以上のものになろうと、はりつめているように見えた。
>
> （前掲『早春スケッチブック　山田太一セレクション』）

所詮、人間は程度の差こそあれ、皆「ありきたり」なのです。

だからこそ、人の足を引っ張り合うのではなく、互いに励まし合い、高め合っていくこと。

いまある自分を超えようと努力し続けること。

人の欠点を「言葉」で指摘するのではなく「行い」で示すこと。

これがニーチェの哲学＝山田太一のドラマから私が読み取ったものです。

ニーチェ嫌いの内山くんはどう感じましたか？

ぼくは、最後に二人の父親がデュエットしたシーンが印象的だったね。結局それまで二人は、いわば、「駱駝の仮面」と「獅子の仮面」をつけて激しく対立してたけど、最後の最後で二人とも勇気をもってその仮面を取り外すことができた。そのとき、二人にまとわりついていた「存在者」としての属性がことごとく捨て去られて、いわば「存在」そのものになりきった瞬間があったんだと思う。この二人の父親がデュエットするシーンは、「存在」という名の魂、ニーチェ風に言えば、「幼な子の精神」、それが直接通い合ったシーンだったと思う。二人ともハイデガーの言う先駆的決意性をもって良心の呼び声を聞いたんだと思う。ニーチェの到達点が、この「幼な子の精神」だと知って、ぼくは、一転してニーチェファンになったよ（ニーチェをハイデガー流に解釈し直すなんて、素晴らしい！）。

弱者と出来損いは亡びるべし、——これはわれわれの人間愛の第一命題。彼らの滅亡に手を貸すことは、さらにわれわれの義務である。

およそ悪徳よりも有害なものは何か？——すべての出来損い的人間と弱者に対する同情的行為——キリスト教……

（前掲『偶像の黄昏　アンチクリスト』）

この言葉によって、ニーチェは、クリスチャンのみならず多くのファンを失ったと前に書きました。

まるで、はじめのころの沢田が言いそうな台詞ですね。ほんとうは、ニーチェはそれを「言葉」ではなく「行い」で示すべきだったのでしょう。しかし、ニーチェの最後に到達した境地は「幼な子の精神」でした。それは、もはや二項対立を超えた悟りのような境地です。ですからこの過激な言葉は「幼な子の精神」の一歩手前の「獅子の精神」からの言葉だと考えた方がよいのかもしれません。

いずれにしても、ニーチェ哲学の最も強調すべき点は、この「幼な子の精神」へと至る精神のプロセスなのです。

山田太一さんの作品は、そこを見事に表現していると思います。ニーチェの著作は、そこをうまく表現しきれていないような気がします。そして私は、いわゆるクリスチャンの方にはご賛同いただけないとは思いますが、沢田の人生の中に、イエスの人生を見る思いがするのです。

「神の死」とか「永遠回帰」といった言葉の解説ばかりしている解説本はたくさんありますが、私は、山田太一さんのこの作品がニーチェ哲学を語り尽くしていると思います。たった一本のドラマが一人の哲学者を乗り超えることだってあるのです。

同じように、この世の中には、「言葉」ではなく「行い」で示す偉大な哲学者（神）だって存在しているのです。あなたの近くにもきっといるはずですよ。いや、私たち自身がそのような哲学者（神）になるように努力すべきなのかもしれませんね。

最後に、ニーチェが人生最期に示した「行い」を紹介してこの章を閉じることにしましょう。

一八八九年一月三日。ニーチェ四十四歳。彼が散歩をしていると、馬車屋の前で、馬が御者に鞭打たれていました。ニーチェはそれを目撃すると、泣きながら駆け寄り、馬の首に抱きつきました。そして、そのまま昏倒(こんとう)して、精神科病院へ入院しました。やがて治癒の見込みなしということで退院し、母親に引き取られ、母親亡き後は妹に引き取られ、一九〇〇年八月二十五日、肺炎のため五十五歳の生涯を閉じました。

第九章　ウィトゲンシュタインの『論理哲学論考』を読む

ウィトゲンシュタイン（一八八九 - 一九五一年）は、ウィーンで八人兄弟の末っ子として生まれました。四歳までは言葉がしゃべれず、その後も重度の吃音症に悩まされました。ハイデガーやヒトラーと同い年で、高校はヒトラーと同じ高校に通っていました。大富豪の家庭に育ち、父親が亡くなった後は莫大な遺産を相続しましたが、すべて財産を放棄して小学校の教員になりました。その後は経済的にかなり苦しい生活を強いられたようです。

兄は四人いましたが、そのうち三人が自殺していて、彼自身も自殺の衝動と常に闘っていたそうです。自殺しなかった兄パウルは戦争で右手を失いましたが、左手のピアニストとして活躍しました。作曲家のモーリス・ラヴェルが彼のために作った「左手のためのピアノ協奏曲」は有名です。

日本でもピアニストの舘野泉（たてのいずみ）さんが六十五歳のときに、コンサート中に脳出血で倒れ、右半身麻痺となり右手が使えなくなりました。

右手を失ったことに絶望しているとき、ヴァイオリニストの息子さんが左手のためのピアノ曲の楽譜を舘野さんのピアノの上にそっと置いて何も言わずに帰っていきました。舘野さんはその楽譜を何気なく手にとった瞬間、「あっ、左手で弾けばいいんだ」と気がついたというのです。そして、六十七歳のときに左手のピアニストとしてデビューを果たし、八十六歳になるいまもコンサート活動を続けていて、九十歳までスケジュールが埋まっているそうです。

私はこの話を聞いて、舘野さんはハイデガーの言う「良心の呼び声」を聞いたのだと思いました。私たちも、気がつかない間に、ほんとうは「良心の呼び声」に呼びかけられているのではないでしょうか。ただ気がつかないだけなのかもしれませんよ。

さて、ウィトゲンシュタインの性格は感情の起伏が激しく、奇行も多く、他人とうまくコミュニケーションが取れなかったようです。後年の研究ではアスペルガー症候群だったという説もあります。

アスペルガー症候群とは、対人関係が苦手で、周囲に無頓着、言語能力は優れているがコミュニケーションが一方通行で空気を読めない、細部に過剰にこだわるといった性格特性があるそうです。少なくとも彼は「世人」（ハイデガー）ではなかったことだけは確かなようです。

そんな彼の主著が『論理哲学論考』（以下『論考』と言います）です。

彼がこの本を書いた理由は、言語で表現することの中で、意味のあることと無意味なことの境界線をはっきりさせたかったからでした。彼は言葉に対するこだわりが非常に強かったのだと思います。こういう「こだわり」が偉大な哲学を生むこともあるんですね。

私たちは、物事を考えるとき言語を用います。言語なくして思考することはできません。ですから、言語の限界を確定することができれば、思考の限界も確定することができるはずです。その結果、世界の問題について言語はどこまで語りうるのか＝思考しうるのかという境界線を画定できるとウィトゲンシュタインは考えました。

言語は人間の思考ばかりでなく感覚まで支配しています。

たとえば、日本語では虹の色は七色ですが、英語では藍色がなくて六色、ドイツ語ではさらに橙色もなくて五色、アフリカのショナ語では四色、バッサ語にいたっては二色です。

また、氷雪地帯に住むイヌイット民族にとって雪の色は十七色もあります。そのおかげで私たちには一面真っ白にしか見えない雪景色もカラフルに見えて決して道に迷わないそうです。

これらは、彼らに色覚異常があるということではなく、生活上、文化上必要のないものは言語化されず、反対に必要なものは言語化されるということを意味しているのです。

では、『論考』の序文から――。

つまり、本書は思考に対して――あるいはむしろ、思考にではなく、思考されたことの表現に対して――、限界を引く。というのも、思考に対して限界を引くためには、我々はその限界の両側を（それゆえ、思考不可能なことを）思考できなければならないからだ。

したがって限界は言語においてのみ引くことができる。そして、限界の向こう側は端的に無意味となるだろう。

（古田徹也著『シリーズ 世界の思想　ウィトゲンシュタイン　論理哲学論考』角川選書）

言語の限界の彼方にあるものは無意味である、とウィトゲンシュタインは言います。ここで言う「無意味」というのは、語ったり、思考したりすることができないということです。

我が家の愛犬ブンは、明日の予定を理解することができません。「明日、散歩に連れて行ってあげるよ」と言っても理解することができません。それは、ブンの思考の限界点を超えているからです。もちろん、私たち人間は、少なくともブンの思考の限界点をゆうに超えています。それでも、私たちの思考にも限界点はあるはずです。だとすれば、私たちの思考の限界を超えた問題については、ブン同様に理解できず、語ることも思考することもできないということになるのです。

そして、ウィトゲンシュタインは『論考』の序文の段階で、哲学的問題について次のようにあっさりと結論を出してしまいます。

本書は諸々の哲学的な問題を扱う。そして、それらの問題が——私がそう考えるように——我々の言語の論理に対する誤解から生じていることを示す。本書全体の意義は、たとえば次のような言葉にまとめられるだろう。およそ語りうることは明確に語りうる、そして、言い表せないことについて人は沈黙しなければならない、と。（前掲書）

彼は、哲学的な問題は「誤解から生じている」と言いますが、どのような誤解だと言うのでしょう。

四・〇〇三　哲学的な事柄についてはこれまで書かれてきた命題や問いのほとんどは、誤っているのではなく、無意味なのである。したがって、我々はこの種の問いにおよそ答えを与えることはできず、ただその無意味さを確認することしかできない。哲学者の掲げるたいていの問いや命題は、我々が自分の言語の論理を理解していないことに基づいている［……］
　そして、最も深遠な問題が、実は全く問題ではなかったというのは、驚くべきことではない。（前掲書）

えっ？　いままで人類が問い続けてきた哲学的問題はほとんど無意味？　しかもそんなこと驚くべきことではない？
本書の第一章で登場したカリクレスさんのように、哲学なんて若いときの知的訓練の道具にすぎないと思っている人たちは、拍手喝采するかもしれませんね。でも、ほんとうにそうかな？

三．〇〇一　「ある事態が思考可能である」とは、我々がその事態の像をこしらえることができる、ということである。（前掲書）

ウィトゲンシュタインは、写真が現実を写し取るように、言語も世界を写し取ると考えました。外は雨が降っています。するとその事実に対応して「外は雨が降っている」という命題が鏡のようにぴったり一対一で対応します。まあ、当たり前の話ですが、これを「写像理論」と呼びます。そして世界はその写像化された命題だけで成り立っていて、それだけが人間に思考可能で有意味な事態だと言うのです。

命題は、個々の単語を配列して出来上がります。「外は雨が降っている」という命題だったら、「外」「雨」「降る」という単語が配列されています。そして、その単語の配列の仕方を「論理形式」と呼びます。言語と世界は論理形式によって結びつけられているのです。

この「論理形式」には、「文法」や「論理」も含まれますし、ある命題から連想可能な「単語群」なども含まれます。要するに論理形式とは、命題を成立させる可能性すべてのことです。

一・一　世界は事実の総体であり、物の総体ではない。（前掲書）

私たちは、個々の「物」そのものと直接出合うことはできません。あくまで物は、論理形式によって結合された「事実」として私たちの前に立ち現れるのです。「あの花は赤い」という事実は、「あの」「花」「赤い」という物が論理形式によって結合されており、「机の上に本がある」という事実は、「机」「上」「本」という物が論理形式によって結合されています。

机以外何もない状況を考えたとしても「机が部屋の中にある」とか「机が床の上にある」といったように、物の結合や物同士との関係としてしか捉えることができません。ですから私たちは、「花」や「赤」という物そのものに直接無媒介に出合うことはできないのです。「世界は事実の総体であり、物の総体ではない」というのはそういう意味です。「雨が降っている」という命題は、「雨」「降る」という物が「論理形式」によって一つの命題としてまとめ上げられています。「降る」「激しい」「台風」「どしゃ降り」「冷たい」といった単語群は雨の論理形式に当たります。一方「腐っている」「誠実である」「神経質である」「人見知りする」といった単語群は雨の論理形式には当たりません。

したがって「雨が降っている」と言うとき、「この命題は有意味である」と言います。実際に雨が降っていれば、この命題は「有意味で真なる命題」だということになりますし、雨が降っていなければ、この命題は「有意味だが偽なる命題」だということになります。

反対に、もし、「雨は人見知りする」という命題があったとしたら、その命題は論理形式を逸脱しているがゆえに「無意味な命題」になります。

このようにあらゆる命題は、「有意味な命題」と「無意味な命題」とに分かれ、有意味な命題はさらに「真なる命題」と「偽なる命題」とに分かれます。

ウィトゲンシュタインさん、気持ちいいくらいに論理的ですね。内山くん、どうですか？

「雨は人見知りする」という命題は無意味だって言うけど、無意味な命題でもジョークやシュールな表現として成立することはあるんじゃないかな。前に白鳥くん、梶井基次郎の小説の一節を引用してたじゃない。

あー、「空は悲しいまでに晴れていた」だね。なるほど。ジョークや文学的表現には、論理形式を逸脱するがゆえに意味をもつことがあるね。この点は、少なくとも『論考』では言及されてないね。

それでは、少し「無意味な命題」でも考えてみようか。

「広辞苑が妊娠した」「床の間が点滴した」「鉛筆が生理不順だ」「リンゴは礼儀正しい」

これらの命題は、対応する事実がないので無意味な命題ですね。でもジョークとかシュールリアリズムの表現として成立する可能性はありますね。

たとえばこんなタイトルの絵画があったらどうだろう。

「机の上にリンゴが載っていない絵」――机しか描いていない絵に対するタイトルがこれだったら面白い。無意味なタイトルだけど、現実に対応している。

一九七〇年代に、松鶴家千とせさんが、「夕焼小焼」を歌いながら、ジャジーなスキャット風でこんなギャグを連発していました。

「オレがむかし夕焼けだったころ、弟は小焼けだった。父さんが胸やけで、母さんは霜やけだった。わかるかなぁ、わかんねぇだろうなぁ〜。イェーイ！」

このシュールなギャグ、けっこう流行りましたよ。では、内山くん、どうぞ。


子どものころ、テレビで銀行強盗か何かのニュースが報道されていて、キャスターが「これは計画的な犯行です」と言ってたんだよ。このときぼくは、犯行自体は悪いことだけど、計画的に行ったのだから無計画に行うよりはいいと思ったんだ。というのも、親から「物事はなんでも計画的に行うようにしなさい」と教えられていたからね。

それから、バスの転落事故の報道のときアナウンサーが「観光バスが崖からあやまって転落しました」と言うのを聞いて、ぼくは、バスの運転手が転落していくバスの中で乗客に謝っているシーンを思い浮かべたんだ。

「乗客の皆さん、すみません、すみません、すみません……」ってね（ちょっと不謹慎だけどウケル〜）。

あと、無意味な言葉との関連で言えば、「となかい」「ちくほうちほう（筑豊地方）」「とんでんへい（屯田兵）」なんていう単語が気に入っている。元素記号の中では「タンタル」が気に入っている。間の抜けた感じがしていいんだよね。「となりのとなかい（隣のトナカイ）」とか「おとなのとなかい（大人のトナカイ）」なんて笑っちゃうもん。中でも「とこやのとこのま（床屋の床の間）」「おとこのこのところてん（男の子のところてん）」は最高だね。

私たちは言語世界の外へ出ることはできないと言ったけれど、内山くん、もしかしたら世界の外へちょっぴりはみ出してるんじゃないかな。

ところで、若いころ、「非連想ゲーム」という遊びを読書会のメンバーでよくやっていました。このゲームでは「AはBである」という命題を作るのですが、ルールはたった一つ。AとBの間には何かを連想させるものがあってはいけないというルールです。そして、次の人は「BはCである」と続けていきます。その都度両者の間にほんとうに連想関係がないか検証します。

私たちは、一つの単語を考えるとき、その単語から連想する単語群を無意識のうちに思い浮かべてしまいます。たとえば、「山」と言えば、「登山」「スキー」「高い」……といった単語群を連想してしまいます。これは論理形式です。その論理形式（連想関係）から自由になろうというのが非連想ゲームの目的です。

当時「連想ゲーム」という番組（一九六九－一九九一年）がＮＨＫで放映されていました。

男性と女性にチームが分かれ、それぞれのキャプテンがヒントを出してメンバーが回答するというゲームです。

たとえば、「学校」というお題に対し、男性チームのキャプテンが「生徒」とヒントを出します。男性チームの回答者は「生徒」というヒントから「制服」と答えたとします。不正解なので回答権は女性チームに移ります。こうして、お題の「学校」が出るまで続けられます。

それに対して、私たちの「非連想ゲーム」は……ちょっとやってみましょうか。

私が先攻、内山くんが後攻でいきましょう。（　）内は連想関係を批評検証したものです。

ちょっと強引すぎますが……。

山はタルタルソースである。（山は食材の宝庫であり、食材はタルタルソースを連想させる）

タルタルソースは金槌である。（タルタルソースは形状が糠に似ていて「糠に釘」という諺（ことわざ）から金槌を連想させる）

金槌は河童である。（金槌で河童の皿を割ることを連想させる）

河童はエンジンである。（河童が力強く泳ぐイメージがエンジンを連想させる）

エンジンは小指である。（エンジンを始動させるとき指を使うので小指を連想させる）

小指はマンホールである。（力もちが小指でマンホールの蓋を開けることを連想させる）

この非連想ゲーム、意図的に論理形式から逸脱しようという試みなのですが、ウィトゲンシュタインは、こういう無意味なゲームは切り捨てて、次のように結論づけました。

六・五三　語りうること以外には何も語らない。自然科学の命題——したがって、哲学とは何の関係もないこと——以外には何も語らない。そして、誰かが形而上学的な事柄を語ろうとするたびごとに、自分が発している命題のしかじかの記号にその人がいかなる意味も与えていないと指摘する。これが本来の正しい哲学の方法である。この方法ではその人は満足しないだろうし、哲学を教わっている気がしないだろう。——しかし、これこそが唯一の厳正な方法だろう。

（前掲書）

これが『論考』の結論なのです。あっけないですね。

非連想ゲームなどやってはいけない。論理形式にしたがっている自然科学の命題のみが意味ある命題であって、それ以外の人類がいままで延々と議論し続けてきた哲学的問題なんぞは無意味な見せかけの問題にすぎない。だから語ってはならない。もし語っている人を見つけたら、あなたは無意味な命題を語っていますよと指摘してあげなさい、それが正しい哲学の方法である、と。いやあ、そんな人がいたら、結構嫌われますけどね。

では、ウィトゲンシュタインの言う「語りえぬもの」の代表例についてみていきましょう。

■語りえぬもの——論理形式

あらゆる命題は、物と物が論理形式によって結合されてできています。論理形式は、命題を成立させるための条件であり、可能性の全体です。たとえば、文法は論理形式です。文法という共通の秩序があるからこそ言語間の翻訳が可能になるのです。しかし、私たちは文法を学んでから言語を使用できるようになるわけではありません。言語使用の実践の中に投げ込まれ、いつの間にか言語を習得しています。これはほんとうに不思議なことだと思います。

ヘレン・ケラーなどは、生まれつき目が見えず、耳が聞こえず、しゃべることもできなかったのに、いつの間にか言語を習得してしまったのですから不思議ですよね。

我が家の愛犬ブンにいくら言葉を教えても習得できません。つまり、この論理形式は教えることができない性質のものなのです。自然と身についているといった種類のものなのです。「自然と」というのは経験に先立っているという意味です。経験に先立つことを「ア・プリオリ」と言います。反対に経験に基づくものを「ア・ポステリオリ」と言います。ア・プリオリなものはア・ポステリオリに語ることができないのです。

ケーキや羊羹は「甘い」という論理形式をもっています。しかし甘いとはどういうことかと質問されても答えることができないでしょう。「甘い」とはア・ポステリオリに学習することではなく、ア・プリオリに身についているものだからです。

私は若いとき、知的障がい者の人たちと一年間過ごしたことがありますが、そのとき「3」以上の数を数えることができない青年がいました。「バケツを二つもってきて」と言うとバケツを二つもってきてくれるんですが、「バケツを三つもってきて」と言うと途端に顔を曇らせるのです。「1」と「2」は理解できるのですが、「3」になると途端に理解できない。「2の次は3だよ」と言っても通じないのです。彼には数の論理形式が何らかの理由で欠落しているのです。

「先生、1と2まではわかるけど、その次が3だっていうのがどうしてもわからないよ。もう少しわかりやすく説明してよ」と言われたとしたら、もうお手上げですよね。

一つの公理からさまざまな定理を証明することができても、定理から公理を証明することはできません。同じように、論理形式によって言語を説明することはできても、言語によって論理形式を説明することはできないのです。論理形式は言語の公理です。論理形式は「語りえぬもの」である。有意味な命題を語るときに、自ずと示されるだけです。

たとえば、目で「対象物」を見ることはできますが、「見ること」自体を見ることはできません。「見ること」というのは、具体的な「対象物」を見ることによって示されるだけです。

赤や緑といった個別的な色を見ることはできても、色そのものを私たちは見ることができません。色というのは何色をしていますか？　と聞かれても、それは語ることができませんね。

あくまで色は、赤や緑といった具体的な色によってその存在が示されるだけなのです。

四・一二　命題はすべての現実を描き出せるが、しかし、そのために現実と共有していなければならないもの――論理形式――は描き出せない。
　論理形式を描き出すためには、我々はその命題とともに論理の外に――つまり世界の外に――立ちうるのでなければならない。

（前掲書）

　なぜ「A＝A」が成立するのかは言語では語りえません。それは言語を成立させているア・プリオリな条件だからです。そのことを疑ったり、問うたりすることが無意味であるような限界点だからです。

　ですから、私たちは「私は私ではありません」といった「A≠A」という命題を受け容れることができないのです。

　本書の第三章で、「いまの私は、ほんとうの私ではないのです」「私がこうやってしゃべっているのも、宇宙からの電波によってしゃべらされているのです」と語る人を紹介しましたが、これは、統合失調症の妄想として知られています。

　精神病理学では統合失調症は、緊張型、妄想型、破瓜型という三類型があると言われています。この中で破瓜型と言われる人は、ほとんどしゃべらなくなり、一日中ボーっとしていて動作も少なくなってくるそうです。ここでは一体何が起こっているのでしょうか。

妄想型の患者の言葉は、「誰かに殺される」「誰かに見張られている」といったように、いずれも外部から内部への権利侵犯という形で表現されます。つまり極めて自我が脆弱なため、外部から何者かが内部へ侵入するという形をとるのです。そこでは少なくとも内部と外部という二項対立はかろうじて保たれています。しかし、破瓜型においては、内部と外部との二項対立が消滅してしまうのです。そこでは内部即外部、外部即内部なのです。そのため、語る主体が消滅すると同時に、語られる対象も喪失するのです。そのような世界は私たちの世界の限界を超えています。世界の限界を超えたとき、人は思考することも、語ることもできなくなってしまうのでしょう。

ウィトゲンシュタインは、世界の中で「語りえぬものについては、沈黙しなければならない」と言いましたが、破瓜型の精神病者は、世界の外で「沈黙」しているのかもしれません。

■語りえぬもの —— 存在問題

では「存在とは何か」という問いは語りうるでしょうか。実はこのような問いも無意味な問いなのです。

えっ！　ハイデガーは「存在問題」を生涯かけて追究してましたけど……。

しかし、あれはまったく無意味な行為なのです。

でも、人間というものは、そういう無意味な問題に取り組もうとする存在なのではないでしょうか。はい。ウィトゲンシュタインもハイデガー先生には同情を寄せています。

私はハイデガーが存在と不安について思考していることを、十分に思い遣ることができる。人間は、言語の限界に向かって突進する衝動を有している。（ウィトゲンシュタイン著『ウィトゲンシュタイン全集5　ウィトゲンシュタインとウィーン学団／倫理学講話』大修館書店）

でも可哀想だけど、無意味なものは無意味なのです。

「本が存在する」というのは有意味な命題です。現実の世界を写し取っています。しかしこの「ある（存在）」ということ自体は語ることができません。なぜなら、「ある」ということを前提として私たちは言葉を使っているからです。「存在」はア・プリオリなのです。「ある」ということは語りえない。存在論は語りえない。これがウィトゲンシュタインの結論です。ハイデガー先生、反論ありますか？

もちろん！　存在が存在者のように問えないことくらいわかっておる。わしはそのことを「存在論的差異」と言ってるじゃないか。しかし、ウィトゲンシュタインくんは、存在問題を直接問おうとするから語りえないなんて結論になってしまうんだ。まず、レベルを下げてだな、机とかハンマーといった具体的存在者について分析する。次に存在者の中でも特異な存在である現存在（人間）について分析する。そういう地道な哲学的営為を経てだね、「存在」に迫るんだよ。そういう努力を彼はしようとしていない。存在することに驚きがあるだろ。その驚きに真摯に向き合えば、「良心の呼び声」が聞こえてくるのじゃ。その声を聞き取るのじゃ。

しかし、ウィトゲンシュタインは、世界があることに驚くのは勝手だが、それは意味のあることに驚いているのではない、無意味なことに驚いているにすぎないと言うのです。

わかりました。百歩譲ってそのような問いが無意味であるとしましょう。でも「驚いている」という事実は否定できませんよね。驚いていると思っていたけど、実は驚いていなかった、なんてことはありませんから。

「無意味なことに驚いている」という命題は有意味で真なる命題である。しかし、その「無意味なことに驚いている」という命題の意味は何なのでしょうか。

その議論に入る前に、ウィトゲンシュタインが語りえぬこととして挙げている他の例も見ておきましょう。

■語りえぬもの――私

「私とは何か」、古今東西の哲学者が延々と思索し続けてきたこの大問題。ウィトゲンシュタインはこんな問いは無意味であるとバッサリ切り捨ててしまいます。

西田幾多郎は「絶対無の場所」なんて言って、がんばってましたけどね。

ウィトゲンシュタインは、「私」は語りえない、示されるだけだと言うのです。

「私は机を見ている」。これは意味のある命題です。ところが、この命題を語っている主体はこの命題の中では表現されていません。それを表現しようとすると、『「私は机を見ている』と私は語っている」という命題になります。しかし、この長ったらしい命題を語っている主体もやはり表現されていません。このように、私を捉えようとすると、どこまでも無限後退してしまって捉えきれません。命題の中で語られている私は「モノとしての私」です。「モノとしての私」はいくらでも語ることができます。しかし、「無限後退する私」は捉えることができないのです。

ここに風景画があるとします。この風景画の作者は、絵の中には描かれていません。私たちは風景画を見て、画家はこんなふうに世界を見ていたんだなあと想像するしかありません。つまり、画家は風景画を通して示されるだけなのです。同じように、「私」も言語では語ることはできず、さまざまな命題や表現の背後にただ示されるだけなのです。

西田先生、反論ありますか？

もちろん！　わしは、自己とは「対象化する働き」であり、その働きを対象化することはできないと考えた。しかし対象化できないということと無意味であることとは違うぞ。対象化しえない「働き」があることは事実だ。その事実をわしは「絶対無の場所」と名づけた。「絶対無の場所」は確かに語りえない。しかし、それは西洋哲学的な主客二元論的な認識論に囚われているから語りえないのだ。絶対無の場所とは「空」なんだ。自己とは空である。そのことを自覚し、最終的には、「自己」を放棄して「場所」になりきることによって自己を捉えるのだ。ウィトゲンシュタインくんは、西洋哲学の限界で立ち止まっておる。わしは西洋哲学の限界を突破しようとしているのだ。

しかし、ウィトゲンシュタインは、ア・プリオリに成立してしまっているものは決してア・ポステリオリに語ることはできないという論理に固執します。

なぜ私は存在しているのか？　なぜ言葉を語ることができるのか？　なぜ音楽を聴いて感動するのか？　これらはすべて、語りえぬことだと言うのです。

■語りえぬもの――自然法則

六・三七　ある出来事が起こったために、他の出来事が必然的に引き起こされる、という強制は存在しない。存在するのは論理的必然性のみである。

六・三　論理の探求とは、あらゆる法則性の探求である。論理の外ではすべてが偶然である。　（前掲『シリーズ世界の思想　ウィトゲンシュタイン　論理哲学論考』）

ここで、ウィトゲンシュタインは、論理的必然性のみが存在するのであって、それ以外はすべて偶然で語りえない領域だと言っています。では論理的必然性の例は何でしょう？「太陽が昇る」というのは自然法則ですからこれは論理的必然性です。ところがですね。ウィトゲンシュタインは、太陽が昇るのは偶然起こったことにすぎないと言うのです。これは「推測」にすぎず、「推論」ではない。競馬の予想のようなものだ。大本命ではあるけれど……。

六・三六三一一　太陽が明日も昇るだろうというのは、ひとつの仮説である。すなわち、太陽が昇るかどうか、我々は知っているわけではない。　（前掲書）

確かに、太陽が大爆発を起こして明日太陽が昇らないという可能性は排除できません。ですから、「世界は自然法則に支配されている」という命題は論理的必然性がない……。

六・三六　仮に因果法則が「それ自体ひとつの法則として」存在するとすれば、それは「自然法則が存在する」というものになるだろう。

しかし、もちろん人はそれを語りえない。それはおのずと示されるものなのである。（前掲書）

「自然法則が存在する」ということは語りえないことなのです。自然法則が具体的に反復されるたびに、即ち太陽が昇るたびに、その法則は示されるだけなのです。

六・三七二　かくして、古代の人々が神と運命の前で立ち尽くしたように、現代の人々は自然法則を疑う余地のないものと見なし、そこで立ち尽くす。［……］ただし、現代の体系では自然法則ですべてが説明されるかのように思われているのに対して、古代の人々は説明が尽きる地点をはっきりと認めていた分、より明晰であった。（前掲書）

現代人は科学万能主義に陥り、この語りえぬ領域を見失っている。その点、古代人のほうが語りえぬ領域に対して謙虚であった。ウィトゲンシュタインは、語りえぬものの前に立ち尽くす古代人に敬意を表しています。ここは傾聴に値しますね。

■語りえぬもの――美と倫理

さらに驚くべき発言があります。私たちの生きている現実世界の中では、あらゆる価値に優劣はなく等しいと言うのです。もし価値をはかる絶対的基準があるとしたら、それはこの言語世界の「外」になければなりません。しかし、この言語世界の外に私たちは出ることはできないのですから、世界の中では価値は相対的であり、等しいと言わざるをえない。こうして美も倫理もすべて語りえない領域にあるので等価値だということになってしまうのです。

六・四一〔……〕世界のなかには価値は存在しない。また、仮に存在したとしても、それは価値と呼べるものでは全くないだろう。

価値と呼べるものがあるならそれは、生起すること、かくあることすべての外になければならない。なぜなら、それらはすべて偶然的だからだ。

それを非偶然的とする何かは、世界のなかにはない。世界のなかにあるとすれば、それもやはり偶然的であることになるからである。

それは世界の外になければならない。

（前掲書）

美しさをはかる絶対的な基準は世界の中にはないのです。時代や文化による相対的な価値観があるだけです。

「美しい音楽」なんてありません。ただ、私と音楽との「美しい関係」があるだけです。

「いい女」なんていません。あなたとその女性との「いい関係」があるだけです。

「この刺身はうまい」というのも、その人が生まれ育った食文化の中で相対的に感じられるものにすぎません。

「美」は、私たちの世界の中では価値中立的だと言わざるをえません。絶対的に美しいもの、絶対的に美味しいものなどは語りえない領域なのです。すると、内山くん。


美なんて、相対的に語ることができればいいんじゃないの？　ウィトゲンシュタインは相対的に語ることすら無意味だと言っているような気がするね。それじゃあ、人生楽しめないよ。


確かにそうだね！　読書会の後で飲みに行った居酒屋のあの焼き鳥、うまかったよな。

では、「人を殺してはいけない」というのはどうですか。皆さんならどう答えますか？

「人を殺したら、刑務所へ行くことになるからよくないことだ」

この答えは、刑務所へ行かなくてすむなら人を殺してもよいという可能性を残しています。

「人を殺すのは、人間としての道義に反するからよくない」

こちらは、「人間の道義に反しない殺人は許される」という可能性を残しています。

どちらも私たちの世界の中の相対的な価値観については語っていますが、絶対的な価値観については語っていません。

つまり、「なぜ、人を殺してはいけないのか」という問いは語りえぬ問いなのです。

正解をあえて言えばこうです。

「人を殺してはいけないのは、人を殺してはいけないからだ」

「赤は赤である」と同じです。赤がなぜ赤なのかということが語りえないように、人を殺してはいけないという理由も語りえないのです。

こうして私たちは相対的な倫理観しか語りえないことになります。絶対的な倫理観を語るには、言語の外に出なければならないからです。しかし、繰り返し言いますが、私たちが言語の外へ出ることは不可能なことなのです。

六・四二　したがって、倫理学の命題も存在しえない。命題は、より高い次元を何も表現できない。

六・四二一　倫理が言い表せないことであるのは明らかだ。倫理は超越論的である。（倫理と美はひとつである。）

（前掲書）

こうしてウィトゲンシュタインは、倫理や美についても語りえぬものとします。

そろそろウィトゲンシュタインの考えについていけなくなりましたか？　でもここを突破するのが花咲かじいさんの腕の見せどころ。いよいよ、クライマックスに向かいますよ。

> 六・五　答えを言い表すことができないならば、問いを言い表すこともできない。謎は存在しない。問いを立てることができるのであれば、答えも与えることができる。
>
> （前掲書）

確かにそういう理屈になりますなあ～。

私とは何か、存在とは何か、美とは何か、倫理とは何か……。そのような問いは問いとして成立していない。問いとして成立していなければ答えも存在しない。したがって謎は存在しない。答えることができるのは自然科学の問いだけである。

うーむ。しかし、人生の問題は残るのではないですか？　残りますよね。ねっ。

> 六・五二　たとえ可能な科学の問いがすべて答えられたとしても、自分たちの生の問題は依然として全く手つかずのまま残される、そう我々は感じる。
>
> （前掲書）

そうそう。人生の問題は語ることはできないとしても伝えることはできると「感じる」わけです。

たとえば、面白い映画を人に紹介するとき、その面白さはなかなか言葉では伝えきれないでしょ。そのとき相手に観ることを薦めるでしょ。言葉では説明できないなんて冷たくあしらいませんよね。観ればその面白さがわかると薦めるでしょ。

「甘い」ということを理解できない人に「甘い」ということの意味を言葉で説明できますか？　できませんよ。ではどうしたらいいと思いますか？

正解は、「このケーキ、食べてごらん」です。実際食べてみれば、それが甘いということがわかるはずだと信じていますよね。ウィトゲンシュタインさん、どうですか？

六・四三二　世界がいかにあるかということは、より高い次元からすれば全くどうでもよいことである。神は世界のなかにはあらわれない。

（前掲書）

ありゃー、映画が面白いかどうかなんてどうでもよい問題。映画が面白いかどうか判定する神はこの世界の中には存在しないのだから……。

ところがです。続いてこんな言葉が続くのです。ここは重要ですよ。

六・四四　世界がいかにあるかが神秘なのではない。世界があるという、そのことが神秘なのである。
（前掲書）

おー！　これ、ハイデガーの問題意識と重なるぞ。ハイデガーはこう言ってましたよ。


なぜ一体、存在者があるのか、そして、むしろ無があるのではないのか？　これがその問いである。この問いが決してありきたりの問いでないということは推察できる。「なぜ一体、存在者があるのか、そして、むしろ無があるのではないのか？」――これは明らかにすべての問いの中で第一の問いである。

（マルティン・ハイデッガー著『形而上学入門』川原栄峰訳、平凡社）


「なぜ一体、存在者があるのか、そして、むしろ無があるのではないのか？」

この有名な言葉、日本語訳はたくさんありますが、英語訳はほぼ統一されています。

Why is there something rather than nothing?

そして、さらに「死」について次のように語ります！

六・四三一一　死は人生の出来事ではない。人は死を経験しない。［……］
（前掲『シリーズ世界の思想　ウィトゲンシュタイン　論理哲学論考』）

そのとおり！

人は自分の死を経験できません。「私は三日前に死んだ」なんて言えませんから。美術家のデュシャンも「されど、死ぬのはいつも他人ばかり」って言ってましたね。

ハイデガーは、死とは自分の死のことであり、それは己の可能性を根源から奪ってしまう実存論的な可能性だ。だから自分の死を引き受けよ。そのうえで自分の可能性を未来に投げ込め。これこそがほんとうの生き方だと言っていました。これ、なんて言いましたっけ。そう、そう。「先駆的決意性」です。

そして、ウィトゲンシュタインは「死」の問題を語り出した途端、ちょっといままでの感じと違った発言が出てくるのです。右の引用に続く言葉です。


六・四三一一　［……］永遠というものが、時間の無限の持続のことではなく、無時間性と解されるならば、現在に生きる者は永遠に生きる。

我々の生には終わりがない。我々の視野に限界がないのと同様に。

（前掲書）

現在（いま・ここ）を純粋に生きるものは永遠に生きる。死の恐怖からも解放される。生に終わりはないから。

うーむ。この言葉、今までのウィトゲンシュタインの語り口からはちょっと想像できませんね。いかにも宗教家が言いそうな言葉ではありませんか。

過去に囚われるな、未来に希望も絶望も抱くな。いま・ここを精一杯生きよ。イエス・キリストもこんなことを言ってますよ。

だから、明日のことまで思い悩むな。明日のことは明日自らが思い悩む。その日の苦労は、その日だけで十分である。

（前掲『聖書』「マタイによる福音書」6章34節）

覚えてますか？　ニーチェが最終的に到達した境地。そう、「幼な子の精神」です。ここはニーチェも想起させます。こんなところで、ウィトゲンシュタインとニーチェが結びつくなんて！

幼な子は無垢（むく）である。忘却である。そしてひとつの新しいはじまりである。ひとつの遊戯である。ひとつの自力で回転する車輪。ひとつの第一運動。ひとつの聖なる肯定である。そうだ、創造の遊戯のためには、わが兄弟たちよ、聖なる肯定が必要なのだ。ここに精

神は自分の意志を意志する。世界を失っていた者は自分の世界を獲得する。

（前掲『ツァラトゥストラはこう言った　上』）

幼子は過去を引きずってルサンチマンを抱くこともなく、未来に絶望することも、希望をもつこともなく、無邪気にひたすら「いま・ここ」を楽しみます。「いま・ここ」が自分の世界なのです。この幼子の精神によって初めて私たちは幸せになることができるのです。

そして『論考』は次の言葉で終わっています。

七　語りえないことについては、沈黙しなければならない。

（前掲『シリーズ世界の思想　ウィトゲンシュタイン　論理哲学論考』）

ただ、この言葉には続きがあるのです。

「沈黙しなければならない」と言い切ってしまったので、ウィトゲンシュタインはこの後、書くことができませんでしたが、実は前もって書いていたのです。気がつきました？　書かれなかった部分にこそ彼の真意が隠されているのです。そこをきちんと読み取らないとね。

六・五二二　ただ、もちろん、言い表しえないことは存在する。それは、おのずと示される。それは神秘である。
（前掲書）

つなげるとこうなります。

語りえないことについては、沈黙しなければならない。もちろん、言い表しえないことは存在する。それは、おのずと示される。それは神秘である。

語りえないことは神秘である。これがウィトゲンシュタインの結論なのです。

本書の第八章で取り上げた山田太一さんのドラマの中で、沢田が和彦たちに語った言葉を思い出してください。

「お父さんは、なにもいわずに、こうやって、自分の奥さんの昔の男、しかも傲慢で身勝手な男のところへ家中（うち）を連れてやって来てくれた［……］おしゃべりじゃ、対抗できない。こっちも行い（おこない）でこたえるしかないが、出来ることはもう、ジタバタしないで、なんとか落着いて、死ぬぐらいしかない」
（山田太一著『早春スケッチブック　山田太一セレクション』里山社）

沢田は言葉で語るのではなく、行いで示すしかないことを悟ります。そして、ほとんど何もしゃべらなくなりました。

イエスはユダヤ教の長老たちによって捕らえられ、ローマ総督ピラトに引き渡され尋問を受けます。しかし、イエスは何も答えず、ただ沈黙を守るだけでした。

ピラトが再び尋問した。「何も答えないのか。彼らがあのようにお前を訴えているのに。」しかし、イエスがもはや何もお答えにならなかったので、ピトラは不思議に思った。

（前掲『聖書』「マルコによる福音書」15章4-5節）

イエスは沈黙することによって、さらに十字架に磔にされるという「行い」によって語りえないことを示そうとしたのです。

ところで、ウィトゲンシュタインは、この『論考』の序文に次のような一文を載せようと考えていたそうです。さすがに編集者に削除されたそうですが……。

私の仕事は二つの部分から成っている。ひとつはここに提示したこと、そしてもうひとつは、ここに書かなかったことのすべてだ。そして重要なのはこの第二の部分である。

（前掲『シリーズ世界の思想　ウィトゲンシュタイン　論理哲学論考』）

えっ！　書かなかったことのほうが重要だったのですか？　そんな本読んだことないなあ。

書かれたことではなく、書かれなかったことのほうが重要。早く言ってよ～。

そうしますと、ここからが『論考』のほんとうの読みが始まるということですか！

わかりました！　では始めましょう。

いままでの話は、すべて前座だということにして……。

『論考』の結論部。

「語りえないことについては、沈黙しなければならない」

かつて心理学者の岸田秀さんは「全ては幻想である」と言って『ものぐさ精神分析』という
「語りえない」と言っているのに語っているではないかという反論から始めましょう。

ベストセラー本を世に出しましたが、「全ては幻想である」というその言葉自体も幻想ではな
いのかと反論されたことがありました。中には「これも幻想か」と言ってげんこつで殴りか
かってきた人もいたそうです。

もちろんウィトゲンシュタインはそのことに気がついていました。そしてそれに対する回答
を用意しています。

「語りえないことについては、沈黙しなければならない」という言葉の直前の言葉です。


――六・五四　私の諸命題は、私を理解する人がそれらを通り、それらの上に立ち、それら――

を乗り越えて、最後に、それらが無意味であることを悟ることによって、解明の役割を果たす。（言うなれば、読者は梯子をのぼりきったら、それを投げ棄てなければならない。）

読者は私の諸命題を葬り去らなければならない。そのとき、読者は世界を正しく見るだろう。

（前掲書）


梯子をのぼりきったら梯子を捨て去れ。

『論考』を読み終わったら『論考』を捨て去れ。

これはすごい！　自らの考えを確立したら、それに固執せず直ちに捨て去り次のステージへ進めということです。

では、『論考』を読み捨てたらどこへ行けばよいのでしょうか。次のステージとはどこにあるのでしょうか。

画家の大野勝彦さんは、四十五歳のとき、農作業の機械に両手を巻き込まれてしまいました。近くに母親がいて停止ボタンはすぐ目の前にありましたが、母親は機械を停止させる方法を知りませんでした。

彼は指が巻き込まれ、さらに手首まで巻き込まれてしまいます。

「母ちゃん、早くボタン押して！」と彼は必死で叫びますが、母親はおろおろするばかり。やがて両肘まで巻き込まれたところで機械は止まりました。

彼は両肘から下を失ってしまいました。

「あのとき母ちゃんが機械を止めていたら両手を失うことはなかったんだ」と彼は母親を恨みました。

ある日、彼が仕事場から帰ってくると、母親は肘から下のないシャツを裁縫しながら、涙を流していました。すると、母親はその涙を浮かべた顔そのままで、笑顔を作って「お帰り」と言いました。

彼は、その母親の涙を浮かべた笑顔を見たとき瞬時に気づきました。自分は取り返しのつかないことを母親に言ってしまったのではないか、と。

彼はその後、「笑顔」を自分のテーマとし、義手に筆をくりつけて水彩画を描き、その絵に短い詩を添えるスタイルを確立しました。それ以降、彼はいままで気がつかなかった人々の思いやり、自然の美しさ、いとおしさに触れることができるようになったと言います。

母親が涙を流しながら必死で笑顔を作っている姿を見たとき、彼は自分の世界を超えた領域に一瞬触れたのではないでしょうか。いままで、母親を恨むことはあれど、感謝することなどなかった領域です。しかし、その考えることも語ることもできなかった領域に彼は触れることができたのです。そしてそのことによって、彼の世界の限界は広がったのではないでしょうか。

「この手を失くさなければ、自分はこのことに気がつかなかったと思う」と彼は言います。

私たちも素晴らしい芸術に触れたとき、大きな悲劇に見舞われたとき、死に直面したとき、自分の世界の限界を超える領域に一瞬触れたと感じることがあるのではないでしょうか。

「芸術」という手垢にまみれた言葉が、もし現代においても有効であるとするならば、それはジャンル化され、固定化された領域にではなく、自分の世界の限界を広げる表現行為の中にこそ存在するのではないでしょうか。

哲学者たちは世界を語りながら、自分の世界を超えた領域に気づき始めます。しかし、それを無理やり言語で語り続けようとして難解になったり、意味不明な文章になったりしてしまうのです。

もちろん、人間は人間を超えることはできません。それは狂気を意味するだけです。しかし世界の限界を広げることはできるはずです。世界の限界を押し広げた人は、この本の中にもたくさん登場しましたね。

葛飾北斎さん、映画「手紙」の兄と弟、「転校生」の一夫くんと一美さん、ドラマ『早春スケッチブック』の沢田竜彦さんと望月省一さん、ピアニストの舘野泉さん、画家の大野勝彦さん――。

だから、私は「語りえないことについては、沈黙しなければならない」というウィトゲンシュタインの言葉の続きに、次の言葉をつけ加えてみたいと思うのです。

しかし、語りえない世界に触れることはできる。世界の限界を広げることもできる。

内山くん、読書会もそろそろ終わりに近づいてきたけれど、最後に花咲かじいさんの共同作品でも作ってみませんか？

第十章　共同作品「存在論的差異Ⅰ」（二〇二三年）

ということで、最後に私と内山くんとの共同作業によるコンセプチュアル・アートをご披露したいと思います。

はじめにお断りしておきますが、十数ページ後に写真と絵画が載っていますが、これからの文章を読む前には絶対に見ないでください。絶対に！

さて、この作品は、内山くんの次のような話がきっかけで始まりました。

あるラジオ番組で、視覚障がい者を美術館へ連れて行って、展示されている絵画を付き添い人が言葉で説明するということをやっていてね、そのとき付き添い人が視覚障がい者に絵の説明をするんだけど、説明するのに苦労したり、普段なら素通りしてしまうところで長く立ち止まったり、説明しているうちにいままで見えていなかったものが見えてきたり、いかに自分が対象物を見ていないかがわかったりというようなことが話されていて、すごく興味深かったんだ。

視覚障がい者でもこういう美術の鑑賞の仕方があるのかと新鮮な驚きを感じて、ぼくも体験してみたいと思った。

それに同じ視覚障がい者でもぼくとその人では感じ方も違うだろうし、その違いも知りたくなったし、一度、視覚障がい者同士でいろいろ感想を言い合ってみたい気持ちにもなったよ。

これは、『目の見えない白鳥さんとアートを見にいく』という本になって出版されているらしいから、白鳥くん、今度読んでみて。その視覚障がいの人の名前が偶然、白鳥さんっていうんだけどね。


そこで、目の見える白鳥くんは早速この本を買って読んでみました。

著者の川内さんはこんなことを書いていました。


最初は、作品のディテールを言語化することで、自分の目の「解像度」が上がるような感じがした。そして、目が見えない白鳥さんとわたしが「お互いがお互いのための装置になったみたいで面白いな」と感じた。せっかくだからもっと一緒に作品を見れば新たな発見があるだろうと思った。

実際に発見は多かった。

わたしたちは、白鳥さんの見えない目を通じて、普段は見えないもの、一瞬で消えゆくものを多く発見した。流れ続ける時間、揺らぎ続ける記憶、死の瞬間、差別や優生思想、歴史から消された声、仏像のまなざし、忘却する夢——。

> そのゆっくりとした旅路の道中で、幾人ものひとがこの美術鑑賞というバスに乗り込み、流れ続ける景色を一緒に見てきた。
> (川内有緒著『目の見えない白鳥さんとアートを見にいく』集英社インターナショナル)

川内さんは「普段は見えないもの、一瞬で消えゆくものを多く発見した」と言います。確かに見慣れた自分の部屋なら、部屋の中の細部などほとんど意識して見ることはありませんね。ですから、部屋の中の小さな変化なんてほとんど気がつきません。ということは、私たちの知覚というものは、「現在」の知覚ではなく、ほとんどが、過去の記憶からの類推によって成立しているということなのではないでしょうか。つまり、私たちは、過去からの類推によって現在を生きているのであって、現在そのものを、ほとんど生きていないのではないか。

観光旅行なんてその典型ですね。それは、すでにカタログや写真で見てしまった風景を追認するために行く旅なのです。それは決して新しいものを発見しようとする「旅」とは言えません。過去に汚染された旅のことを「観光旅行」と呼ぶのです。

最近、時間がたつのが早く感じられませんか? それはあなたが、「現在」そのものをほとんど生きていないからなんですよ。

もちろん私たちに「いま」与えられている膨大な情報をすべて知覚したうえで行動しようと

したら、それこそ日常生活を営むことなんてほとんど不可能でしょう。

しかし、芸術を鑑賞するときは、そのような自然的態度は捨て去るべきではないでしょうか。視覚障がい者に絵画を説明するということは、過去の類推から知覚する際に切り落としてしまった「現在」をもう一度取り戻そうとする試みなのではないでしょうか。

するとと内山くん……。


それで思いついたんだけど、目の見えない人に説明している言葉だけで画家に絵を描いてもらったらどんな感じになるのだろうって。原画とどんな差が出るのか興味をもったんだよ。


なるほど。それは面白いね！

ウィトゲンシュタインの「写像理論」では、「事実」と「言葉」は一対一に対応するということになっているけれど、実際はそんなことはありえないからね。

一つの事実に対して、複数の人がいれば、複数の解釈による複数の言葉が存在するはずだし、一つの言葉であっても複数のイメージが生まれるはずです。

同じ風景を見ても、それを俳句や短歌にまで高められる人もいれば、何も感じず通りすぎてしまう人もいる。同じ体験をしても、深い教訓を得る人もいれば、恨みつらみだけが残る人だっている。

もちろん、日本の猫とイタリアの猫が現実に対して異なった反応をすることはありません。それは、動物が一義的な世界を生きているからです。人間だけが多義的な世界を生きているからそういうことが起こるのです。ワン！　愛犬ブンも認めてくれたようです。

要するに、「一つの事実」に対して「一つの言葉」が対応しているのではなく、「複数の解釈」が対応しているということです。というより、「複数の解釈」という現実に対して、「一つの事実」という虚構が対応していると言った方がよいかもしれません（ややこしい〜）。

ハイデガーは、存在者と存在の差異を存在論的差異と呼んで「存在」の問いを推し進めてきましたが、存在者を存在者たらしめるものは「存在」だけではなく「人間（現存在）」でもあるわけですから、人間が受け取る解釈の差異の中にも存在の謎を解明するヒントが隠されているのではないでしょうか。「解釈的差異」と「存在論的差異」とは類比的関係なのではないでしょうか。

そこで私たちは「解釈的差異」によって「存在論的差異」に迫るコンセプチュアル・アートを考えてみました。題して「存在論的差異Ⅰ」です（「存在論的差異Ⅱ」も作る予定らしい）。

作品はA→B→Cの過程で制作します。

A　一枚の写真を選びます。

B　その写真を説明する文章を書きます。

C　画家は写真を見ずに、その文章の説明文だけを頼りに絵を描きます。

写実性があった方が写真との差異が際立つと思うので、今回はリアルな精密模写を得意としている二人の画家に鉛筆で描いてもらいました。画家は実際の写真を見ることができませんので、言ってみれば「視覚障がい者」の立場になってもらうわけです。

ということで、写真の選定と説明文の作成は私が行い、説明文については内山くんの意見を参考に加筆修正しました。

写真と鉛筆画との解釈的差異を「存在論的差異」と呼ぶことができるなら、この作品、ハイデガーの「存在論的差異」を世界で初めて視覚的に表現したコンセプチュアル・アートということになりますね。

ところで、私と内山くんは一九九六年に開催された第一回水戸現代音楽祭に、「Dis-Communication Music入門」という作品を発表しました。この作品は「Dis-Communication Music　新ジャンル音楽」（二〇〇六年）というCDに収録されています。そして、そのライナーノーツに「Dis-Communication Musicの発見」と題して私は次のような解説を寄せました。

新しい音楽は、いつの時代でも、それまでの音楽を定義づけることによって発見されてきた。たとえば、「無調音楽」はそれまでの音楽を「調性音楽」と定義づけることによっ

て、「十二音音楽」はそれまでの音楽を「七音音階」として定義づけることによって、「図形楽譜」はそれまでの音楽を「五線記譜法」と定義づけることによって発見されてきたのだ。

こういう言い方はちょっと意外に聞こえるかもしれない。しかし、音楽史で語られるように、「調性音楽」の後に「無調音楽」が登場したとか、「七音音階」の後に「十二音音楽」が登場したといった具合に、歴史的前後関係として語ることは、事後的に顧みられた転倒した言説なのだ。むしろ、「調性音楽と無調音楽」「七音音階と十二音音楽」「五線記譜法と図形楽譜」といった分節化の発見こそが、新しい音楽を生み出す必要条件だと言うべきなのだ。

有名なジョン・ケージの「4分33秒」。これは演奏家が楽器の前で四分三十三秒間、何も音を発しないという音楽である。この音楽から、演奏中に聞こえてくる「聴衆のざわめき」「足音」「雑音」、そこにこそ音楽は存在しているのだというメッセージを受け取ることも可能だろう。しかし、むしろ、ジョン・ケージはそれまでの音楽を「音から成り立っている音楽」＝「有音音楽」と定義づけることによって「無音音楽」を発見したと言うべきなのだ。

さて、ここまでの考えを補助線として、次のような思考実験をしてみよう。

いままでの音楽を「作曲家の意図を演奏家に正確に伝えようとする音楽」「演奏家の意図を聴衆に正確に伝えようとする音楽」と定義してみる。そして、それを一言で「コミュニケーション音楽」と呼んでみる。すると、そこから「ディスコミュニケーション音楽」というものが考えられないだろうか。「作曲家の意図が演奏家に正確に伝わらない音楽」「演奏家の意図が聴衆に正確に伝わらない音楽」「演奏家同士の意図が正確に伝わらないアンサンブル」。そのような音楽は成立しないだろうか。

　こうしてぼくらの試行錯誤は始まり、やがて演奏行為や作曲行為を阻害する異物を差し挟むことによって生成されてくる音楽を発見し、それらを「Dis-Communication Music」と名づけることにしたのである。

「美」という言葉が現代においてもまだ力をもちうるとしたら、それはかつて「美」という領域から排除され続けたものの中からこそ見出されるべきだろう。

たとえば、ミスタッチ。たとえば、リズムの合わない演奏。たとえば、息の合わないアンサンブル。

（内山泰一と白鳥俊「Dis-Communication Music」ライナーノーツより）


「ここ掘れ、ワンワン！」という愛犬ブンの声が聞こえたので、久しぶりにこのＣＤを聴いてみました。すごく面白い！　二人とも笑いながら感動してしまいました。これ、私と内山くんの「宝」だなあ。ここではニーチェの「幼な子の精神」がいかんなく発揮されていると思います。

宣伝になって恐縮ですが、このＣＤ、ネットで購入できますので興味をもった方は、ぜひ聴いてくださいね。

では、調子に乗って曲目解説もしておきましょう。

①四グループ同時演奏　Prelude No.1

バッハの平均律クラヴィーア曲集第1番のプレリュード(グノーの「アベマリア」付き)を四組のグループが同時に演奏する。ただし、各グループは他のグループの演奏が聴こえない環境にあるため次第に演奏にズレが生じてくる。このズレが生じた瞬間、バッハの象徴秩序に亀裂が入り、新しい音の世界が繰り広げられる。

②四奏者四声部分割演奏合図付　Fuga No.1

バッハの平均律クラヴィーア曲集第1番のフーガを四奏者が一声部ずつ別々に演奏している。これもプレリュード同様に、演奏者同士お互いの音が聞こえないため次第にズレが生じる。しかし、ズレがあるレベルに達したとき、演奏者には正解の「合図」が与えられズレを修正する機会が与えられる。差異化と同一化の反復による「歪んだフーガ」の誕生である。

③バッハインベンション・レース　Invention No.4

バッハインベンション第4番を素材にして繰り広げられる「エレクトリックギター」「オリ

エント」「クリスタル」等による壮絶なる「競走曲」（協奏曲ではない）。勝利は誰の手に！

実況：白鳥俊　解説：内山泰一

④目隠し鬼（エリーゼのために）

ベートーヴェンのピアノ曲「エリーゼのために」の楽譜を六パートに振り分ける。一つ一つのパートを聴く限りでは何の曲だかわからないが、六パート合わせて聴くと原曲が再現される仕組みになっている。六人の演奏者には曲名を知らせず、それぞれのパートが割り与えられ、各パート音だけがヘッドホンに流される。演奏者は音が聴こえたら直ちに鍵盤上でその音を反復しなければならない。反応時間にズレが生じる。ミスタッチが生じる。崩壊するエリーゼ。エリーゼに失恋したベートーヴェンの狂気の声が聴こえてくるはずだ。このような形式を私たちは「目隠し鬼」と名づけた。「鬼さんこちら、音の鳴るほうへ……」

⑤目隠し鬼（月の光）

ドビュッシーの「月の光」を六人の演奏者が「目隠し鬼」形式で演奏した。印象派の「ゆらぎ」に拮抗する目隠し鬼の「ゆらぎ」をお楽しみください。

⑥ふくわらい（MITO）

キーボード奏者二名が、さまざまな曲のメロディーと伴奏を交互に演奏する。ただし、演奏者同士はお互いの音が聴こえないためにすぐズレが生じる。そのズレを修正しようと「指揮者」は各演奏者に指示を与える。「白鳥くん、一拍速く！」「内山くん、遅れないで！」。しかし、この指示がさらに混乱を助長する場面もあり、予断を許さない。指揮者の指示も聴きどころの一つである。なお、このような形式を私たちは「ふくわらい」と名づけた。視覚を遮断することによって生じる原型との差異をお楽しみください。

演奏：内山泰一と白鳥俊　指揮：永縄真百合

⑦二奏者即興分割演奏　枯葉

ジャズのスタンダード曲「枯葉」を内山泰一と白鳥俊が演奏する。テーマ→アドリブ（四コーラス）→テーマで構成されている。テーマは二小節ずつ交互に演奏を行い、アドリブは一コーラス目は一小節ずつ、二コーラス目は二拍ずつ、三・四コーラス目はさらに細分化して一拍ずつ交互にアドリブ演奏を行う。お互いの音は聴こえない状態にしてあるが、リズムは共有しているため、テンポやリズムという形式面は正確だが、アドリブの内容面に独特の歪みが発生する。特に一拍ずつ交互にアドリブ演奏する場面は緊張感あふれる演奏となっている。「ディスコミ・ジャズ」誕生の瞬間である。

「スケーターズワルツ」の伴奏部分をふくわらい形式で二人の演奏者が一拍ずつ交互に演奏する。ふくわらい形式ゆえに伴奏は歪んだものとなる。その歪んだ伴奏をヴァイオリニスト川口真有美がステージ上で追いかける。苦悩するヴァイオリニスト。しかし、歪んだ伴奏は何と「ウィンナーワルツ」になっている瞬間があるではないか！

⑧ふくわらい　スケーターズワルツ

ということで、この「Dis-Communication Music」は、「音楽版存在論的差異」と言えますね。

そして今回は「美術版存在論的差異」に挑戦してみようということになったわけです。

さて、この作品を鑑賞するに当たって、鑑賞者は実に複雑な体験をすることになります。

まず、読者は「B　説明文」を読んで一つのイメージを得ます。次に、「A　写真」を見て一つのイメージを得ます。さらに「C　鉛筆画」の画家〈I〉と画家〈II〉の作品からそれぞれイメージを得ます。

つまり、読者は合計四つのイメージを得ることになるのです。この四つのイメージの差異の戯れの中にこそ「存在」という神秘が隠されているのではないでしょうか。ですから、ここは簡単に素通りせず、この四つのイメージの差異を心ゆくまで堪能してみてください。もしかしたら、存在の神秘に触れることができるかもしれませんよ。
では、内山泰一と白鳥俊による共同作品「存在論的差異Ⅰ」をお楽しみください。
えっ！　もう写真も絵も見ちゃった？
だから、見るなって言ったのに……。「袋とじ」にしておけばよかったな。

追　伸
内山くんとは、寺山修司の演劇「盲人書簡」を一緒に観に行きましたが、いままで君を映画に誘うことは遠慮してきました。でも視覚障がいがあるからこそ見える映画の世界というのもあるような気がしてきました。今度一緒にどうですか？（いいよ。居眠りしないようにがんばるよ）
それでは、映画百本くらい観たら『目の見えない内山くんと映画を観に行く』という本でも書いてみましょうか。

B　説明文

母は東京にあるカルチャーセンター「産経学園」の健康体操の講師をしていました。指導者として慕われており、温厚な性格でした。父は五十八歳で定年を迎えて、次の会社に勤めていました。

母は、六十歳までは体操を皆とやっていたいとがんばっていました。

両親はまったく平凡で平和な日々を送っていました。

そんな平凡な日常の中に突然異変が生じてきます。

あるとき、父が蕎麦の薬味にネギを刻むように母に頼むと、ざく切りのネギが食卓に出てきたのです。

また、父の会社へ何の用もないのに頻繁に電話をかけてくるようになりました。

物忘れも激しく、健康体操の教室でもいろいろ問題が起こり始めました。

一年後に病院を受診したところ、「アルツハイマーの疑い」という診断が下されました。

母、五十九歳、父六十三歳、一九九一年秋のことでした。

当時はまだ、介護保険制度もなければ、「認知症」という言葉もありませんでした。「痴呆」とか「呆け老人」などと呼ばれている時代でした。

症状は物忘れのレベルから、自分の思うようにならないと暴力を振るうレベルへとエスカレートしていきました。

花瓶を庭に投げる。傘を襖に突き刺し、カーテンを引き裂く。

外に出ようとして、鍵を力ずくでもぎ取り、格子戸に体当たりする。

徘徊といっても生半可ではありませんでした。母は足が速く、父は自転車で追いかけました。

それが夕方から翌朝まで十時間続くこともありました。

母が疲れ果て、くずおれるようにへたり込み、父も力尽き、二人で抱き合って泣いたこともあったそうです。

そんな母も、父の根気強い介護によって徐々に落ち着きを取り戻していきました。

一九九六年秋。

二人はいつものように散歩に出かけ、近所の公園のベンチに座りました。

この写真はそのときの光景を撮ったものです。

二人が座っている姿を、後ろやや斜め左から撮っているので、表情はあまりよく見えません。

父の表情がわずかに見えます。

後ろから見て母は左、父は右側です。父は六十八歳、母は六十四歳です。

父はやせ気味で、使い古した縁のある帽子をかぶり、薄手の黒っぽいジャンパーを羽織っています。

父は母のほうを向き、横顔に笑みを浮かべて、右手にコンビニで買ったサンドイッチを持ち、母の口許に差し出しています。

「ほら、食べてごらん、おいしいよ」と言っているような仕草です。

母は白っぽい無地のトレーナーを着ています。少し太っているので背中が広く感じます。健康体操の講師をやっていたころは、食事制限をしてスマートでしたが、このころは食欲旺盛で少し太っていました。

母のヘアスタイルは洗髪介助がしやすいように短髪です。

母の表情ははっきり見えませんが、父を信頼しきっている幼子のような雰囲気が背中から漂っています。

二人は背もたれのない、ペンキの剥がれ落ちた古びた木製のベンチに座っています。

ベンチの上にはコンビニのビニール袋が置かれています。小さな牛乳パックも一つ置かれています。

二人の前には、野球場が広がっています。内野の土の部分と外野の芝生が見えます。

広い公園には誰もいません。

野球場の向こうには家並みと木々が見えています。

二人の姿が写真のほとんどを占め、二人だけに焦点が合わさり、その他の背景はぼやけている感じです。

父も母ももうこの世にはいません。

Ａ　写真

母はこの写真を撮った九年後、七十三歳で亡くなりました。父は十五年後、八十三歳で亡くなりました。

父の遺品の中から十五年間にわたる母の介護記録と日記が見つかり、私はそれを丹念に読んで、『アルツハイマーという奇跡』（文芸社）という本にまとめました。

この写真は、その本のカバーに載せたものです。偶然ですが、写真に写っている父と今の私は同じ年齢です（撮影：朝日新聞社）。

〈Ⅰ〉「想像力写真」作・こも（鉛筆画、2022 年）

〈Ⅱ〉「静かな午後」作・あみち（鉛筆画、2022 年）

あとがき

さて、『花咲かじいさんの読書会』はこれでおしまいです。

読者の皆さん、最後までつき合ってくださり、ありがとうございました。

内山くん、名編集者の役割を果たしてくれましたね。内山くんのおかげで、ぼくは自分自身の世界の限界を少しばかり押し広げることができたと感じています。ありがとう。

「ジジババになると世の中の仕組みから少し解放されるね。欲も減るし。がんばって！」と言って陰ながら応援してくれたのは、愛妻の由香里さんでした。君から借りた『日本の名著47　西田幾多郎』（中央公論社）、じっくり読ませてもらいましたよ。ありがとう！

ワンワン！　そうそう、愛犬ブンもいろいろヒントを与えてくれました。ありがとね。

私たちは、この本を一つの「質問」として書いてみました。多分、答えはきっとたくさんあることでしょう。それぞれ皆さんにふさわしい答えを見つけてください。

でもほんとうは、答えを見つけることより「質問」を見つけることのほうが大切なんですよ。なぜって、人生は一つの壮大な質問なのですから。

私たちは質問を見つけるために、これからも読書会を続けていきます。
では、次回作でお会いしましょう。えっ、まだ続くのかって？　生きている限りはね。

白鳥　俊

著者紹介

白鳥　俊（しらとり　しゅん）

昭和三十年三月十九日、午後零時十分、昼食を告げるサイレンの音に眼覚め産声を上げる。目方三七二〇グラム（平均三〇六〇グラム）。身長五十四センチ（平均四十九センチ）、人並はずれた大男。目玉をパッチリ開いた快男子。指長くピアニストの素質十分。足大きく何れ十一文半にはならん。食欲すこぶるよろしく何でも口に入れ、何もなきとき、おのが五指を一度にほゝばる有様、げに昼食時生まれなんと思ひき。

著 者

内山くん

愛犬ブン

花咲かじいさんの読書会 哲学の宝を掘り起こす

2023年12月15日 初版第1刷発行

著　者 白鳥 俊
発行者 瓜谷 綱延
発行所 株式会社文芸社
〒160-0022 東京都新宿区新宿1－10－1
電話 03-5369-3060（代表）
03-5369-2299（販売）

印刷所 図書印刷株式会社

ISBN978-4-286-24741-0 JASRAC 出 2305452－301